革共同政治集会を圧倒的に実現（…年12月８日、東京・なかのＺＥＲＯ）

今こそ反スタ運動の雄飛を！

北京官僚の香港人民武力弾圧を弾劾（11月16日、中国大使館前）

安倍政権打倒！首相官邸に怒りの拳（11月16日）

龍虎罵図
FRONT NATIONAL
AfD
ベネチアはアドリア海に沈む
冷戦は地中海に沈んだはず
パリ協定
GSOMIA
核合意
INF
突撃肉弾三勇士
老
軍費
壮
青
全世代型安全保障
社会
一億火の玉
枯れ木に花が咲くものか
ボキッ
命令どおりに動く
セクシーじゃない
化石
SKOLSTREJK FÖR KLIMATET
バラまきだけじゃね
うまくいくわけないわよね
A-rise, ye pris'-ners of starv-a-tion!
¡Fuera Piñera!
有害無益
ペルシャ湾へ ワンチーム！
全学連
革マル派
反
20春闘勝利！
一律大幅賃上げをかちとろう！

『解放』2020年新年号掲載　解題は154頁に掲載

辺野古への土砂搬出阻止に起つ（12月 3 日、安和桟橋付近）

全道労学統一行動、札幌大通を進撃（10月27日）

改憲反対集会に闘う学生が檄（11月 3 日、大阪市）

全東海労学統一行動に起つ（10月27日、名古屋市）

首都中枢を席巻する全学連・反戦（10月27日）

新世紀

第 305 号（2020 年 3 月）

The Communist

帝国主義打倒！

スターリン主義打倒！

万国の労働者団結せよ！

2020年 3 月　No.305　目 次

新世紀

日本革命的共産主義者同盟 革命的マルクス主義派 機関誌

今こそ反スタ運動の雄飛をかちとれ

憲法改悪阻止！　米・中激突下の戦乱の危機を突き破れ

すべてのたたかう労働者・学生諸君！　二〇二〇年の劈頭にあたって、わが同盟は訴える！　本年を、わが反スターリン主義革命的共産主義運動の飛躍的前進の年とするために、うって一丸となって奮闘しよう！

昨年十一月、中国ネオ・スターリン主義官僚・習近平の政権は、不屈にたたかう香港人民に残虐きわまりない血の大弾圧を振り下ろした。われわれは反スターリン主義者としての矜持にかけて、「第二の天安門事件」というべき習近平政権のこの蛮行を弾劾する。

習近平ら中国のネオ・スターリン主義者どもは、今このときにも大量のたたかう学生・労働者を逮捕し長期投獄し、残虐な拷問を加えて「思想改造」を強いている。彼らは「特別行政区に全面的管轄統治権を行使する」と言い放ち、香港人民をみずからの強権的支配のもとに組み敷こうとしている。まさに奴らは、スターリンの末裔としての血塗られた本性を剥き出しにしているのだ。

香港の学生・労働者はいま、狂気の弾圧に抗しネオ・スターリン主義権力者による強権的支配を打ち砕くために、闘志をいっそう燃えたたせ不屈にたたかいぬいている。われわれ日本の革命的左翼は、彼らに連帯を表明し呼びかける。香港のたたかう人民は、中国「市場社会主義国」なるものの反人民性・反マルクス主義性をつかみとり、自称「社会主義国」での闘いの敗北の数かずの教訓に学んで、あらたな闘いに起ちあがれ！　日本の、そして全世界の労働者・人民は、たたかう香港人民と連帯して、中国ネオ・スターリン主義権力者を弾劾する闘いに起て！

わが同盟は、決起した香港人民にたいして習近平政権が武力弾圧の意志を剥き出しにするやただちに、「習近平政権の武力弾圧を許すな！」「香港人民は中国官僚の強権支配を打ち砕くためにたたかおう！」と闘いの檄を飛ばした。全学連のたたかう学生は、首都・東京の中国大使館をはじめ、全国各地の領事館などにたいする弾劾・抗議の闘いを幾度にもわたってたたかいぬいた。革命的・戦闘的労働者たちもまた、それぞれの闘いの場で、職場の仲間や組合員たちと香港問題をめぐって創意工夫を凝らして論議をくりひろげ、彼らに香港人民への共感と北京官僚にたいする怒りと弾劾の意志をつくりだしてきた。この地平に立って、中国のネオ・スターリン主義権力者どもを弾劾する闘いをさらにたたかいぬこう！

二十一世紀現代世界はいま、アメリカと中国およびロシアとが核戦力強化を競いあい、軍事・政治・経済のあらゆる部面で激突し、熱核戦争が勃発する危機を高めている。このまっただなかで日本の安倍ネオ・ファシスト政権は、トランプ政権に安保同盟の鎖で締めあげられながら、〝アメリカとともに世界中で戦争する国〟へと突き進もうとしている。われわれは、戦乱に覆われたこの〝暗黒の現代世界〟を根底からくつがえしてゆく決意のもとに、〈米—中・露の核戦力強化競争反対〉

を高く掲げて、革命的反戦闘争をさらに強力に推進し、その全世界的な波及をめざして奮闘しよう！
「野党連合政権」構想への合意を各野党からとりつけることにいっさいを従属させ解消している日共・不破＝志位指導部を弾劾し、安倍政権の改憲・安保強化・中東派兵を粉砕するためにたたかおう！

首相・安倍晋三は、「桜を見る会」なるものにおいて莫大な公費を使って不正接待＝買収をくりかえし、これが発覚するや各省庁の官僚どもを締めつけ動員して揉み消しに躍起になっている。安倍とその政権のこの悪行に、労働者・人民の怒りが高まり噴出している。わが革命的左翼は、怒りに燃えて決起した労働者・人民に、安倍政権のネオ・ファシスト的本質への自覚をうながし、〈反安倍政権〉の闘いを高揚させるために奮闘しよう！〈改憲阻止・安保強化粉砕・中東派兵阻止〉の闘いを断固として創造し、安倍ネオ・ファシスト政権打倒に突き進もう！

反スターリン主義運動の怒濤の前進をかちとれ！

一、戦乱・貧困・強権支配に覆われた現代世界

Ｉ　米―中・露の政治的・軍事的・経済的角逐の激化

中距離核ミサイルの配備競争の開始

アメリカと中国およびこれと事実上の同盟関係にあるロシアの権力者どもは、それぞれに核戦力の強化に血道をあげている。ＡＩ（人工知能）など最先端技術の開発と応用を基礎にして、核戦力を質的にも量的にも飛躍的に強化することにシノギを削っているのだ。この米―中・露の核戦力強化競争の最大の焦点が、ここ東アジアにおいて彼らが新型の中距離核ミサイルの配備を競いあっていることにほかならない。

二〇一九年二月にトランプ政権がＩＮＦ（中距離

核戦力)全廃条約の破棄を通告し、アメリカとロシアが結んできたこの条約は一九年八月に効力を失った。これを契機としてトランプ、プーチンの両政権は、またこれまでも中距離ミサイルの配備をすすめてきた習近平政権は、相互に対抗的に、ここ東アジアに新型中距離核ミサイルをドシドシ配備しつつある。

　この中距離核ミサイルの配備競争は、熱核戦争がひきおこされる危険を飛躍的に高める以外のなにものでもない。中国やロシアが、アメリカのＭＤ(ミサイル防衛)システムをかいくぐることのできる極超音速ミサイルなど新型兵器の開発をおしすすめてきた。既存の迎撃システムが役に立たなくなることを突きつけられたトランプ政権は、これに対抗するために敵のミサイル発射基地を・また都市や工業地帯を確実に破壊することのできる新型ミサイルと〝使える核〟と称する小型核兵器を開発し、これを大量に配備することに踏みきったのだ。これがまた中国やロシアの権力者どもの対抗をよびおこし、あらたな核戦力強化競争の幕が切って落とされたのだ。

　トランプ政権は条約失効後ただちに、同条約で禁止されてきた中距離ミサイルの発射実験を相次いで

《目　次》

強行した（一九年八月に巡航ミサイル、十二月には弾道ミサイル）。彼らは、中距離核ミサイルの東アジアにおける配備先を安保の鎖で締めあげている〝属国日本〟に定め、安倍政権に受け入れを強硬に迫っている。一九七二年の施政権返還時の〝核持ち込み密約〟をタテにとって基地の島・沖縄に、さらに日本全土に、ドシドシ配備しようとしているのだ。

これに対抗して、中国およびロシアも堰を切ったように中距離核ミサイルの東アジアへの配備・増強にのりだした。この地域においてアメリカの核戦力を無力化するために、グアムキラー・空母キラーの異名をとる中距離ミサイルの配備をすすめてきた習近平中国、彼らはさらに大量の核ミサイルの配備をもってアメリカに対抗しようとしている。ロシアのプーチン政権もまた、〝日本が配備を受け入れたならば北方諸島の返還はありえない〟と叫び「もともと返す気などないのだが」、逆にこの諸島に、在日米軍基地に照準をあわせて新型ミサイルを配備しようとしているのだ。

制海権をめぐる攻防と新兵器開発競争

いま習近平中国は、南シナ海・東シナ海の制海権を獲得するために、さらに西太平洋の制海権をも求めて、海軍の増強に躍起になっている。南シナ海では、造成してきた人工島に海軍および空軍の出撃基地を続々と建設し、これら諸島を軍事要塞化している。東シナ海では、安倍政権が「日本固有の領土」と主張し海上保安庁の艦船を常時張りつかせている尖閣諸島の奪取をもくろんで、海軍や海警局の艦船を連日のように近海に突入させている。中国海軍は、艦隊を連ねて宮古海峡などいわゆる第一列島線を突破し、頻繁に太平洋に進出している。中国が保有する空母としては二隻めになる初の国産空母を就役させるなど、中国海軍を外洋型の艦隊へと着々と強化しているのだ。

これにたいしてトランプ政権は、「航行の自由」を叫んで、中国が「領海」と主張する南シナ海の島々や人工島の直近にアメリカ艦船を突入させる作戦を、毎月のように強行している。中国が台湾の併否をたくらみ軍事力行使も辞さないと叫んでいるなかで、米軍艦船に緊張高まる台湾海峡を通過させる示威行動にうってでている。「いずも」型護衛艦や大型潜水艦など日本の海上自衛隊艦船をも従えて、東・南シナ海さらにインド洋を巡回する軍事行動をくりかえし、中国を威嚇し牽制してもいるのだ。

アメリカと中国およびロシアは、あらたな核戦力・軍事技術の開発と実用化、その配備にシノギを削っている。それぞれに、これまでの陸・海・空に加えて宇宙空間やサイバー空間をもあらたな〝戦場〟と定めて、核を中心とする軍事力の強化に狂奔している。彼らはそれぞれに、相手の軍事力の〝目〟と〝神経系統〟を無力化することを狙って、軍事衛星を破壊する兵器やサイバーテロで相手の情報網を攪乱する技術を開発し、その実用化を競いあっているのだ。

米・中貿易戦争の熾烈化・長期化

十二月十三日に米・中両権力者は、貿易交渉をめぐる「第一段階の合意」なるものを発表した。本年秋に迫ったアメリカ大統領選を前にして、輸出産品を生産する農家や輸入業者らからの不満・反発にさらされているトランプ政権。他方、成長率が鈍化し経済危機を深めつつある中国の習近平政権。ともに貿易戦争が自国経済にとっての甚大なダメージとなりつつある両権力者は、さしあたりの〝妥協〟をはかったのだ。

だが、トランプが「中国が年間五〇〇億ドルの農産物購入を約束した」と成果を誇示するのにたいして、習近平政権が「買うかどうかは中国政府の責任ではない」と応じたように、「合意」なるものは〝玉虫色〟のものでしかない。それどころか、中国が約束した「知的財産権保護の強化」なるものはおよそ実効性のないものでしかなく、「国家補助金の削減」にいたっては習近平政権は交渉に応じることさえ拒否しつづけているのだ。

トランプ政権が要求している「国有企業への国家補助金の削減」は中国の政治経済体制の根幹にかかわり、「知的財産権の保護」は核戦力の優位を獲得する鍵をなす最先端技術開発でどちらが先んじるかにかかわる。これらは、米・中いずれも絶対に譲るわけにはいかないのであり、どちらも退くに退けないチキンレースの様相をますます鮮明にしている。両者の貿易戦争がいっそう長期化し先鋭化するのは必至なのだ。

今日の、アメリカと中国およびロシアの先端技術開発競争とからめた核戦力強化競争は、二十一世紀世界の覇権をめぐる米—中・露の対決の核心をなしている。「米・ソ冷戦終結」以降、核軍事力の圧倒的優位を武器に「一超」として世界に君臨してきた没落軍国主義帝国アメリカに、ネオ・スターリン主義官僚が専制支配する「市場社会主義国」中国が急速にキャッチアップしてきているがゆえに、両者の〝世界の覇者〟の座をかけての死闘は、熾烈化の一途をたどっているのだ。「ベルリンの壁」崩壊・「東西冷戦終結」から三十年、いま現代世界は、米—中（・露）が「倒すか倒されるか」の激突をくりひろげ、熱核戦争勃発の危機を高めているのだ。

II　国家エゴイズムを剥き出しにする没落軍国主義帝国

アメリカ帝国主義トランプ政権はいま、習近平率いる「市場社会主義国」中国の急速な追い上げを振り払い叩き潰すことに躍起になっている。習近平中国が、建国一〇〇年の二〇四九年には「社会主義現代化強国」を実現する、すなわちアメリカを追い越す〝超大国〟にのしあがることを国家目標に掲げ、現に経済的にも政治的・軍事的にもアメリカの背後にヒタヒタと迫っている。このことを突きつけられて今さらながらに驚愕し焦りに駆られているのがアメリカ帝国主義権力者なのだ。

トランプ政権はいま、——大統領再選を何よりも優先するトランプその人と、「中国との対決」を先頭でガナリたてている副大統領ペンスらとのズレをはらみながらも——中国を主敵とし「世界最強のアメリカ軍の再建」を掲げて、世界支配にとって最後のよすがとなっている核軍事力の優位を護りぬくために狂奔している。その核心が核戦力そのものの刷新であり、宇宙空間やサイバー空間における中国（およびロシア）のキャッチアップを絶対に許さないことにほかならない。最新の通信技術である5G（次世代高速通信システム）で先行する中国ファーウェイ製品の排除を、同盟諸国などの権力者や各国の独占体にゴリ押ししているのは、まさにそのゆえなのだ。〔〝属国日本〟の安倍政権をのぞいて、ほとんどの権力者・資本家どもから無視されているのであるが……。〕

「アメリカ・ファースト」の貫徹

　トランプは「アメリカ・ファースト」の名において、以前の政権がつくりだしてきた国家間の関係・約束をことごとくふみにじり、アメリカの国益を強引に押し通そうとしてきた。これは、敵対国であれ同盟国であれ、あらゆる国家をおのれの国家意志に隷属させ〝属国〟としてゆくという＜隷属化戦略＞にもとづく。イラン核合意や温暖化対策のパリ協定など、前オバマ政権が主導して締結してきた国際的とりきめから相次いで離脱した。中国だけでなくEU諸国にたいしても関税引き上げを一方的に強行し、またNATO同盟諸国に軍事費の大幅アップを強要してもいる。アジアの同盟国である日本や韓国にたいしても、アメリカ軍の駐留経費負担の四〜五倍への引き上げを迫り、また貿易協定の見直しを強制しようとしてもいるのだ。

　この傲岸きわまりない態度のゆえにトランプ政権は、同盟諸国や親米諸国をふくめ全世界の権力者から総スカンを喰らっている。昨一九年十二月初旬のNATO首脳会議では、トランプがシリアにおいてクルド人見殺しを意味する米軍撤退をNATO同盟諸国の頭越しにおこなったことに、フランス大統領のマクロンが激怒し「NATOは脳死状態だ」と叫んだほどだ。

　このトランプの無理無体につき従っているのは、全世界でただひとり、〝属国ニッポン〟の宰相・安倍だけである。そうであるがゆえにトランプ政権は、安保同盟の鎖をますます固く締めあげ、中距離核ミサイル配備受け入れ、ペルシャ湾派兵、米軍駐留経費の四・五倍化、超高価なアメリカ製兵器の爆買いなどを、安倍政権に強硬にオッペシている。日本帝国主義の経済力・軍事力を最大限にひきだし活用してゆこうとしているのだ。これをなおも唯々諾々と受け入れ〝属国〟たるの実を示しているのが安倍とその政権なのだ。

中東支配の最後的終焉

昨一九年九月十四日、ハメネイ・ロウハニのイランは、アメリカの同盟国サウジアラビアの石油施設に巡航ミサイルやドローンを撃ち込み、これを爆発・炎上させる的確無比な攻撃を敢行した。この事件こそは、軍国主義帝国アメリカのイランへの敗北を、アメリカの中東支配の歴史的終焉を告知したという意味をもつ。

イラク・シリア・レバノンを抱きこんで「シーア派三日月地帯」を築き、アメリカの中東支配を脅かしてきたシーア派宗教国家イラン。このイランを押さえこむためにトランプ政権は、イラン核合意を一方的に破棄し、経済制裁や軍事的圧力を加え屈服を迫ってきた。この軍国主義帝国アメリカの傲岸にたいして、満を持して反撃にうってでたのがイラン権力者なのだ。まさにここに、中東におけるアメリカの威信は地に墜ちたのだ。

それだけではない。トランプ政権は昨秋、同盟諸国に諮(はか)ることもなくシリアからアメリカ軍を一方的に撤退させた。そうすることによって彼らは、みずからがテコ入れし「IS(「イスラム国」)掃討」に活用してきたクルド人武装勢力を見殺しにしたのだ。さらにトランプは、あからさまな〝親イスラエル〟政策、イスラエルによるゴラン高原占領の承認やヨルダン川西岸地域への入植の是認などを相次いでうちだし貫徹してきた。――このように、トランプ政権が歴代アメリカ政府がとり結んできた国際的とりきめや諸関係を意にも介さずに振る舞ってきたことのゆえに、中東においてもアメリカの威信と信用は完全に崩れ落ちた。この間隙をぬってロシアがこの地域での地歩を打ち固め、トルコ・サウジ・イランの〝地域大国〟間の力関係の激変もがもたらされているのだ。

〝大統領選ファースト〟のトランプ

本年十一月に迫った大統領選において再選を狙うトランプはいま、ウクライナ疑惑をめぐって下院で弾劾訴追を決議された。政権奪還をもくろむ民主党はここぞとばかりに攻勢を強め、トランプは窮地に陥っている。

だが民主党は、大統領選候補者が乱立しその選定作業は混迷を深めている。こうした状況を見てとってトランプは本選での勝利をもぎとるために、〝岩盤支持層〟といわれるキリスト教福音派や中南部の大農家などの・またラストベルトの白人労働者の票を固めることを最優先にして、なおも「アメリカ・ファースト」にもとづく諸政策を強硬に推進しているのだ。

Ⅲ　反人民性を露出する「市場社会主義国」中国

二〇四九年には「社会主義現代化強国」実現という旗を立て、没落する軍国主義帝国アメリカに対抗して〝超大国〟にのしあがらんとしているのが、習近平の中国にほかならない。

アメリカ帝国主義との核戦力強化競争の激化のゆえに、またアメリカ権力者が仕掛けた貿易戦争の重圧を受けて、いま中国経済は〝破局寸前〟というべき大混乱に陥っている。

日本や韓国などの外国資本の東南アジア諸国などへの流出、リーマン・ショック以降に中央政府によって投資拡大を強制されてきた地方政府や国有企業の〝債務の過剰〟、産業構造の変動にも規定されての企業倒産の頻発と大量の失業者。何よりも、ネオ・スターリン主義官僚および同時に資本家でもある党員らと、労働者・農民工らとの階級分裂の進展。このゆえの天文学的数値を示す「貧富の格差」の拡大、労働者・農民工、零細農民などの貧窮の深まり。……これらを基礎として、香港人民やウイグル人民の、中国全土における労働者・人民の、ネオ・スターリニスト専制支配体制への反逆が渦巻いているのだ。

この中国社会経済の大混乱は、北京官僚どもの経済建設路線にこそもとづく。「社会主義市場経済」という絶対に相容れないふたつの概念を接合した〈絶対矛盾的自己同一〉ともいうべきあらたなカテゴリーをねつ造し、これをもってみずからの経済建設路線を基礎づけてきたのが、鄧小平いらいの北京ネオ・スターリニストどもだ。今日の中国経済の破綻的な事態こそは、プラグマティックにうちだされた北京官僚の路線の矛盾、その没理論性・没論理性と反プロレタリア性の如実なあらわれ以外のなにものでもない。

この労働者・人民の、また国内諸民族人民の反逆を押さえこんでゆくために、習近平指導部は「中華民族の偉大な復興」「中華民族五〇〇〇年の歴史」なるものを叫びたて、中華ナショナリズムを大々的に煽りたてている。この中華ナショナリズムにもとづいて労働者・人民、諸民族を共産党専制というかたちをとる中国国家のもとに統合し、これを基礎としてアメリカ帝国主義との〝長期戦〟に勝ちぬいてゆこうとしているのだ。

アメリカ帝国主義の覇権への挑戦

習近平政権は最先端技術でアメリカにキャッチアップしつつあることを基礎にして、核戦力を中心に軍事力の飛躍的強化に狂奔している。ASEAN諸国の抗議など歯牙にもかけず南シナ海を領海化し、造成した人工島に軍事施設を建設し軍事要塞として着々と強化している。尖閣諸島の奪取をももくろんで東シナ海で、さらに西太平洋においても軍事行動を活発化している。

彼らは「一帯一路」の名において、南および西アジア諸国、インド洋や太平洋の島嶼諸国などをインフラ整備などへの資金供与・借款をテコとして抱きこみ、「人民元経済圏」づくりに突進している。この追求を同時に、後進諸国をいわゆる〝債務の罠〟におとしいれ、債務返済の猶予とひきかえに港湾施設の長期にわたる使用権を獲得するなど、軍港・軍事拠点を確保する策とも結びつけて推進しているのだ。

香港・ウイグル人民への大弾圧

アメリカ帝国主義への挑戦を仕掛けている習近平政権はそのためにも、みずからの支配を脅かしかねない〝内憂〟を取り除くために、「香港の中国化」にのりだした。だが、そのために香港行政府に「逃亡犯条例」改定を強行させようとしたことに、香港人民は怒りを爆発させた。彼らが、香港警察による大弾圧にも一歩も退かず、逆に闘いを高揚させていることに危機感に駆られた習近平は、ついに流血の武力弾圧に踏みきったのだ。

十一月十四日、ブラジルで開催されたＢＲＩＣＳ首脳会議の席で、習近平は「重要演説」なるものをおこなった。①「過激な暴力犯罪活動は『一国二制度』原則の譲れぬ一線への重大な挑戦だ」――「一国二制度」といっても、核心は「一国」なのであって、香港はあくまでも中国の一部だ、ということ。②反対運動のスローガンである「光復香港　時代革命」とは、香港の「統治権を奪取する」「外部勢力の企て」だ。③「香港の繁栄と安定は『中国の夢』の重要部分をなす」――香港を絶対に敵の手に落とさせない、という中国官僚どもの決意。これらを傲然と宣言したのが、香港人民への憎悪に駆られた習近平なのだ。

この習近平談話こそは、香港人民の闘いを「暴乱＝反革命」と烙印し暴力的に圧殺する宣言であり、結節点をなす。この談話を号砲として、二日後には香港駐留の人民解放軍に、「対テロ」の特殊部隊であることを示す「雪楓（せっぷう）特戦営」と書いたＴシャツを着せて瓦礫撤去に出動させる、という武力介入のデモンストレーションをおこなった。これに急（せ）かされて香港行政府は、警察部隊を中文大学・理工大学に突入させ、抵抗する学生らに筆舌に尽くせぬ凄惨な弾圧を浴びせたのだ。

十一月二十四日の香港区議会選挙で、「民主派」は議席の八割以上を獲得し圧勝した。この結果にネオ・スターリニストどもはますます危機感と憎悪を募らせ、これを圧殺する意志を打ち固めている。習近平指導部はすでに、香港中心街から三〇キロ離れた山間部に「再教育施設」という名の強制収容所を造りだしている。かのウイグルでの矯正施設と同様に、これまでの逮捕者を、――さらに逮捕者を拡大して――この施設に閉じこめ、残虐な拷問を駆使して転向を迫るにちがいない。いや、中心的活動家たちは闇に葬られる可能性が大なのだ。絶対に許してはならない！

香港だけではない。新疆ウイグル自治区においては、五〇〇ヵ所の矯正施設に一〇〇万人ものウイグル人民を閉じこめ、北京官僚の手先どもが二十四時間監視し徹底的な「思想改造」教育をおこなっている。民族独自の言語も宗教も文化もすべて奪いさる強制的な同化政策を貫徹しているのだ。北京政府の支配を、同時に漢民族による異民族支配＝同化として貫徹しているのが、習近平ら中国のネオ・スターリン主義者どもなのだ。

台湾併呑のための強硬策

「中華民族の偉大な復興」を掲げる習近平政権は、台湾の併呑をなしとげるために、台湾の権力者や人民にたいしては「一国二制度」方式をおしだしつつ、「独立」を志向する民進党政権やこれを支えるアメリカ権力者にたいしては「武力解放も辞さない」と恫喝を加えている。台湾海峡を艦船を連ねて通過させるなど威嚇的な軍事行動をくりかえしてもいるのだ。さらに台湾政府を国際的に孤立化させるために、南太平洋のソロモン諸島など、残り少なくなった台湾を承認してきた諸国を札束にモノをいわせて抱きこみ、「台湾との断交」＝「中国承認」に転換させてもきた。

本年一月に迫った台湾総統選に向けて習近平政権は、「台湾独立」を志向する民進党・蔡英文の再選を阻止し「両岸関係の改善」を掲げる国民党の政権を樹立することを尻押ししてきた。だが、香港人民の不屈の闘いが、北京官僚がおしだす「一国二制度」方式の欺瞞性を満天下に暴きだしたがゆえに、この方式そのものへの疑念と警戒心が台湾の労働者・人民に広がり、蔡英文が支持率を回復し当選確実、といわれている。

この蔡英文政権にたいしてトランプ政権は、F16戦闘機の改良型を供与することを決定した。一九七二年の米・中国交回復いらいアメリカ権力者がたてまえとしては採ってきた「ひとつの中国」政策を実質的に破棄し、対中国の政治的包囲網を構築するために台湾政府へのテコ入れ強化にのりだしたのだ。これにたいして習近平政権は、台湾問題は「内政問題」であり・中国にとって「核心的利益である」と叫びたて、アメリカ帝国主義など「外部勢力」の介入は絶対に許さないと強硬姿勢をあくまでつらぬこうとしているのだ。

支配体制強化を宣言した四中全会

十月末に開催した中国共産党第十九期四中全会（中央委員会第四次全体会議）で習近平指導部は、「若干の重大問題にかんする党中央の決定」なるものをうちだした。「①国家統治システムの現代化、②党の科学的・民主的な執政、③人民が主人公の社会主義民主政治の発展、④香港など特別行政区の国家安全維持のための法制度と執行メカニズムの確立」と。――「人民が主人公の民主政治」などと「人民」を五十一回もくりかえしたこの「決定」、「人民」や「民主」の時ならぬ強調こそは彼らの悪辣な意図を示してあまりある。まさにそれは、香港人民やウイグル族の反抗・闘いを圧殺し、貧困に呻吟している労働者・農民の不満の爆発を押さえこむために、国内支配体制を引き締め強化することを正当化するもの以外のなにものでもない。

「わが国の国家制度と国家統治体系は多くの方面の顕著な優位性を備えている」「党政軍民学、党がすべてを指導することを必ず堅持する」――党がすべての上に立ち、習近平を頭とする政治局常務委員会（チャイナ・セブン）がいっさいの権限を掌握し行使する、この体制を絶対に堅持すると傲然と語っているのだ。みずからの支配を脅かす労働者・人民の決起を封じこめるために、あくまでも官僚専制体制を強化し強権を振るおうというのだ。

ありとあらゆる矛盾を噴出させガタガタになりながらも、落日の軍国主義帝国アメリカとの覇権争い＝〝長期戦〟に勝ちぬくために、労働者・人民の反逆を強権的・暴力的に弾圧し、「中国の特色ある社会主義」の道をあえぎあえぎ進んでいこうとしているのが北京官僚どもなのだ。

Ⅳ 「大国の復権」をもくろむロシア・プーチン政権

アメリカに次ぐ核大国であるプーチンのロシアは、核戦力のさらなる強化・増強をはかり、中国との事実上の同盟関係を打ち固めている。これらを基礎に軍国主義帝国アメリカに対抗し、「大国の復権」の名において中東や旧東ヨーロッパでの〝失地回復〟を狙っているのだ。

シリアにおいてプーチン政権は、トランプ政権が駐留軍の撤退を開始した間隙をついてアサド政権をいっそう抱きこみ、中東における橋頭堡を護持し強化した。さらに彼らは、アメリカの威信失墜につけこんで勢力拡大をもくろみ、NATO同盟国のトルコや親米国家サウジアラビアを抱き寄せることを狙って、これら諸国に兵器の売り込みをはかっている。

ヨーロッパでは、アメリカ帝国主義主導ですすめられてきた「NATOの東方拡大」を押し返し、ソ連邦の版図をとりもどし旧東欧における失地を回復するために狂奔しているのがプーチンだ。

昨一九年十二月九日にパリで開かれたロシア・ウクライナ・ドイツ・フランスの四ヵ国首脳会議において、ウクライナ政府軍と親露派武装勢力とが内戦状態にあるウクライナ東部地域で、年内に停戦と捕虜交換をおこなう合意がなされた。

だがこの「合意」なるものにおいては、ロシアの要求した東部地域への自治権付与も、ウクライナ側が提起した地方選挙の実施も何ひとつ合意が得られぬままに、ただ〝停戦〟が決められたにすぎず、およそ実効性のあるものではありえない。ましてや一四年にロシアが「併合」を宣言したクリミア半島の帰属にかんしては、プーチンは議題にあげることさえ峻拒しつづけているのだ。

まさにプーチン政権は、ウクライナのNATO加盟を阻止するために、東部地域の親露派支配を〝既成事実〟としてウクライナ政府および独・仏権力者に認めさせ、またクリミアのロシアへの併合をもはやいっさい問題化させないという意志をあらためて鮮明にしたのだ。対ロシアで強硬姿勢をとってきたポロシェンコに代わって昨年ウクライナ大統領に就任したコメディアン＝ゼレンスキーが対話姿勢に転じているのにつけこんで。

さらに旧東欧諸国にたいしてはハンガリー・オルバン政権などの、ドイツの〝一人勝ち〟に反発し、民族主義を鼓吹し強権支配を強めている政権の抱き込みをすすめてもいる。

だがプーチンの足元のロシア経済は長期低迷に陥っている。クリミア併合いこうのアメリカなどによる経済制裁にくわえて、先端技術部門での立ち後れのゆえに資源輸出型経済からの脱却がすすまないなかで、原油価格の低落に直撃されて国家財政収入が大幅に減少しているのだ。これをのりきるために年金の支給開始年齢を引き上げたことに労働者・人民の不満が高まり、「反プーチン」の運動と世論がまきおこっている。これをKGB（旧ソ連国家保安委員会）出身のプーチンは、反対運動活動家や反政府的ジャーナリストへの、暗殺をふくむ強権的弾圧をもってのりきろうとしている。アメリカ権力者らからの非難にたいしては、北京官僚とも口裏をあわせて「自由と民主主義は時代後れだ」と豪語し居直りながら。外に向かっては核戦力強化に狂奔し、内に向けてはFSB（連邦保安局）主導の強権的支配体制を打ち固め、「政敵」および労働者・人民への強権的・暴力的弾圧をもってみずからの支配をつらぬき、「大国としての復権」に突き進もうとしているのが、プーチンなのだ。

Ⅴ　世界各地で火を噴く戦乱

朝鮮半島情勢の新展開

北朝鮮の金正恩政権は昨秋、短距離ミサイルやロケット砲の発射を相次いで強行した。低空で敵地に進入する能力を獲得するなど、ミサイル技術の高度化をはかりつつあるのだ。

正恩は「十二月中に重大決定をおこなう」とブチあげ、トランプに「制裁解除」を迫っている。長期化する国連の名による経済制裁のもとで疲弊し、労働者・人民の不満も極点に達しているがゆえに、またトランプの任期が迫っているのをにらんで、一刻も早くトランプから〝譲歩〟をかちとろうと焦りを募らせている。そのゆえに彼らは、またしてもミサイル発射をくりかえすなど〝瀬戸際政策〟を駆使しているのだ。

これにたいしてトランプは「使いたくはないが、われわれは最強の軍事力を持っている」と、軍事攻撃をもチラつかせて正恩を牽制している。次期大統領選に向けて窮地に追いこまれているがゆえに、北朝鮮の核・ミサイル問題でのより大きな〝成果〟をかちとるために、金正恩政権を威嚇し屈服をひきだそうとしているのがトランプだ。

「非核化」と「制裁解除」をバーターし段階的にすすめようとしている金正恩政権。これにたいしてあくまでも「完全な非核化」を実行しないかぎり「制裁解除」はないと主張するトランプ政権。「朝鮮半島の非核化」をめぐるこの両者のアプローチのちがいのゆえに、アメリカ大統領選に向けて、もしもトランプの支持率が低下するなどの条件がうみだされた場合には、トランプ政権がふたたび強硬姿勢に転じる可能性が高まるにちがいないのだ。

韓国の文在寅政権は、日韓GSOMIA（軍事情報包括保護協定）の失効期限の直前になって、協定破棄を当面は控えると表明した。トランプ政権の強硬な恫喝に見舞われてさしあたっては妥協したのだとはいえ、日韓GSOMIA破棄の表明に露出した文在寅の意志はけっして消えさりはしない。

その直後の十二月五日、文在寅は四年ぶりに訪韓した中国外相の王毅と会談した。ここにおいて文は、朝鮮半島の「非核化」と「平和構築」のために中国の協力を依頼した。第二次大戦以後にゆいいつ残された分断国家の権力者として「南北統一」の悲願をいっそう燃えあがらせているのが文在寅なのだ。米・中がここ東アジアを最大の焦点として激突しているもとで、朝鮮半島がふたたび戦場になりかねないと危機感をつのらせているがゆえに、これをなんとしても回避することを政策選択の最高の基準にしているのが、文政権なのだ。

しかも文は、今なお〝宗主国〟然として植民地支配の謝罪も賠償もいっさい拒絶し韓国に全面屈服を迫る安倍ら日本帝国主義権力者どもに怒りと対抗心を燃やしている。まさに文政権は、二〇四五年には〝朝鮮民族の統一〟を果たし日本をしのぐ〝大国〟にのしあがることを熱願しながら、米・中・日・北朝鮮との外交交渉をくりひろげているのだ。それは、米日との三角軍事同盟の瓦解をさらに促進するにちがいないのだ。

こうしていま、米・中対決の最前線である朝鮮半島においても力学の激変がつくりだされようとしているのだ。

中東政治力学の激変

トランプは昨秋、シリアに駐留していたアメリカ軍の撤退に踏みきった。このアメリカ軍撤退の間隙をついて、エルドアンのトルコがクルド人武装勢力の掃討のためにシリアに侵攻した。プーチンのロシアは、このエルドアンと結託して、「平和保障」と称しアサド政権軍を従えてシリアへの進駐を一挙に強め、シリアにおける三つめの軍事基地を確保した。

他方、これまで「ＩＳ掃討」のために徹底的に利用してきたクルド人勢力を見殺しにしたのがトランプだ。ペルシャ・アラブ・トルコの狭間で〝国家を持たぬ民〟として悲劇に叩きこまれてきたクルドの民は、またしても裏切られ、トランプへの怨念を募らせている。それは、中東におけるアメリカ帝国主義の権威をますます低落させるものとなったのだ。

汚職を摘発され政権危機＝監獄行きの危機にある強硬派シオニスト・ネタニヤフ。昨秋の二度めの総選挙においても多数を獲得できなかったネタニヤフは、三度めの選挙で何がなんでも勝利するために、――親イスラエル政策を採り、ヨルダン川西岸への入植を公認したトランプ政権の援護を受けて――ガザのハマス系住民やシリアに駐留するイラン革命防衛隊への空爆や、西岸地域の入植地拡大を強行している。

イスラエル・サウジアラビアにテコ入れしているアメリカ・トランプ政権と、シリアを拠点に勢力拡大をはかっているロシア・プーチン政権、そして石油を安定的に入手するために中東での地歩を築くことを策している中国・習近平政権。この米―中・露の動向にも規定されて、〝現代の火薬庫〟中東において戦乱の火が次々と噴きあがっているのだ。

Ⅵ　貧窮の深まりと労働者・人民の闘い

中南米における反政府闘争の高揚

南米チリにおいて、親米のピニェラ政権にたいして、地下鉄料金の値上げに端を発して労働者・人民の反政府闘争が高揚している。高校生を先頭に広汎な労働者・人民が決起したデモに、血に飢えたピニェラはただちに非常事態を宣言し軍を動員して弾圧にのりだし、多数の人民を射殺させた。これに怒りを爆発させた労働者・人民は、大デモンストレーション、ストライキ、バリケード戦を全国各地で連日くりひろげている。いまチリの労働者・人民は、「ピニェラ退陣」を掲げて反政府闘争へと闘いをおしあげつつある。

アルゼンチンにおいては親米右派政権が倒壊し、ふたたび〝左派政権〟が樹立された。コロンビアにおいても、親米政権にたいして労働者・人民の闘いが高揚している。

他方、チャベスとならぶ「反米」の旗手であったモラレスが十数年にわたって権力を掌握してきたボリビアにおいて、大統領選における「不正」を米州機構が認定したことに支えられて、軍部が事実上のクーデタにうってでた。この軍部の攻勢のまえに、モラレスは辞任しメキシコに亡命した。クーデタへの抗議の闘いに決起したボリビアの労働者・人民は、軍部によって血祭りにあげられてしまった。ウルグアイにおいても十五年間にわたって貧困対策・福祉政策を採ってきた左派政権が、大統領選で親米右派に僅差で敗北し政権を追われた。

チャベスの死後、ＩＭＦをタテにした金融支配をテコに、「反米」左派政権への制裁など締めつけを強めてきたアメリカ帝国主義の策動。またアメリカの相次いだ「利上げ」ゆえの各国に投じられてきた外国資金の国外への流出。これらに翻弄されて、中南米諸国はおしなべて経済危機に見舞われてきた。このことを物質的基礎として、〝親米〟の軍部がクーデタにうってでるなどして、ブッシュ・ジュニアの時期には中南米諸国の大半を占めていた「反米」政権は次々と倒壊させられてきた。

他方で、この地域の豊富な資源（ベネズエラの石油、ボリビアのリチウム、チリの銅や硝石など）、さらにパナマ運河の利権を求めて、習近平中国がこの地域への介入を強めている。十一月中旬にブラジルで開催されたＢＲＩＣＳ首脳会議を契機として、〝ブラジルのトランプ〟こと大統領ボルソナロは、トランプ政権の対中制裁関税への対抗措置として大豆の輸入先をアメリカからブラジルに切り換えている習近平政権の誘いにのっかって、中国との関係改善にのりだした。

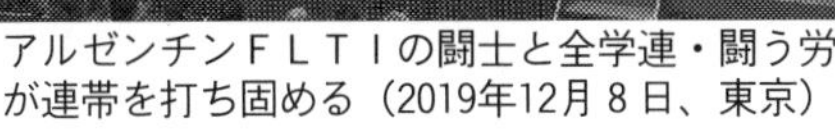

アルゼンチンＦＬＴＩの闘士と全学連・闘う労働者が連帯を打ち固める（2019年12月８日、東京）

アメリカ多国籍資本に翻弄され、かつ米・中の草刈り場の様相を呈しているなかで、貧窮と強権支配を強いられている中南米諸国の人民は、いま闘志を燃えたたせ多くの諸国で反政府の闘いに決起しているのだ。

極右勢力の跳梁とＥＵ分解の危機

ブレグジット（イギリスのＥＵ離脱）をめぐるイギリスとＥＵ、イギリス国内の対立・混乱は、昨年十二月十二日実施の再度の総選挙で「一月中の離脱」を掲げた首相ジョンソン率いる保守党が過半数を獲得したことによって、収拾されつつあるかにみえる。だが、日本の諸独占体などイギリスに投資してきた外国資本の逃避が開始されている。ＥＵ残留派が多数を占めるスコットランドの人民および支配者がＥＵ残留を志向してイギリスからの独立に走る動きを加速しかねない。たとえ「合意なき離脱」は回避できたとしても、ブレグジットはイギリス経済に、またＥＵ経済に大混乱をうみだし、ＥＵのさらなる分解をうながす起爆剤となるにちがいない。

ＥＵの市場統合およびユーロ圏の通貨統合、このもとでもたらされたものは、まさに〝ドイツの一人勝ち〟であり、旧東欧諸国や南ヨーロッパ諸国が〝域内後進国〟としてとり残されたことであった。

ドイツそのものにおいても、「ベルリンの壁崩壊」以後三十年の今日、東西の格差はいっこうに克服されていない。旧東ドイツの人びとはみずからを「二級市民」と観念し、「東ドイツ時代のほうがよかった」という人たちも多い。このことを基礎に旧東ドイツ部を中心に、「ドイツ人ファースト、反イスラム、反移民」を掲げるAfD(「ドイツのための選択肢」)が急激に伸張し、メルケル政権を揺さぶっている。EU内の最貧国であるルーマニアでは労働力人口の実に三〇%が国外に流出しており、残された人民のうちに「(強権支配をきわめた)チャウシェスク時代のほうがよかった」という声が広がっている。ハンガリーは極右のオルバンが強権支配を貫徹しており、プーチンのロシアに接近している。ポーランドでも「反移民」を叫ぶ右翼「法と正義」が権力を握っている。

昨年五月の欧州議会選挙でいわゆる「EU懐疑派」と呼ばれる諸グループが議席の三割を制し、なかでも「反移民」や「反EU」を掲げる「極右」がヨーロッパ各地で台頭しており、EUの分解が深まっているのだ。フランス、スペイン、ギリシャなどで、貧困と格差拡大に怒る労働者・人民が長期ストライキや街頭デモンストレーションに決起しているにもかかわらず、これらの諸国でも貧窮にあえぐ多くの人民が「極右」にからめとられてしまっている。これら諸国の共産党=旧スターリニスト党がソ連邦崩壊を契機に社会民主主義に転向を遂げるとともに極小勢力と化し、トロツキスト諸派もまたその多くは反マルクス主義集団へと転落している。この指導部の腐敗に決定されて、労働者・人民の貧窮の深まりとそのゆえの怒りの噴出は、プロレタリア階級闘争の前進として実現されてはいないのだ。

二、軍事強国化に突進する反動安倍政権

日米新軍事同盟の飛躍的強化

昨秋トランプ政権は、東アジアにおいてミサイルを増強してきた中国に対抗するために、中距離核ミサイルを沖縄さらに日本全土の米軍基地に配備することを決定し安倍政権に通告した。安保同盟の鎖につながれたトランプの忠犬・安倍が、これを受け入れる腹であるのは明白だ。いまやここ日本が、東アジアにおける米—中・露の核戦力増強競争の最大の焦点となっているのだ。

さらにトランプは、アメリカ製の超高額の兵器を大量に購入することを安倍に迫るとともに、在日米軍駐留経費の日本負担分（条約上の根拠のない、いわゆる〝思いやり予算〟）を現行の四・五倍の八七〇〇億円にせよと傲然と突きつけた。かの「かが」艦上の儀式で「世界中でアメリカを支援せよ」と訓示を垂れたトランプは、自衛隊という名の日本国軍に全世界で米軍と戦闘を共にすることを強要している。ペルシャ湾での対イラン「有志連合」の呼びかけが同盟諸国権力者からも総スカンを喰らっているなかで、トランプは——昨年六月十三日の日本企業所有タンカーへの砲撃という謀略をも駆使して——安倍政権に中東への艦隊派遣を迫ってきた。これらトランプの傲岸な要求のことごとくを安倍は受け入れているのだ。

すでに安倍政権は、東・南シナ海からインド洋に展開する米海軍の対中国の威嚇的な軍事行動に自衛隊艦船を参加させ、沖縄人民の粘り強い闘いを強権的に弾圧しながら辺野古に米海兵隊新基地＝核出撃拠点を建設する工事を強行している。敵地攻撃能力を備えたF35戦闘機や陳腐化しつつあるイージス・アショアの導入をはかろうとしている。さらに〝思いやり予算〟の大幅増額というトランプ政権の法外な要求さえも、基本的には受け入れるにちがいない。

安倍政権は、年々史上最高を更新してきた軍事費をさらに突出させ、この財源を捻出するために大衆収奪の一挙的強化をはかっている。労働者・人民の困窮の深まりなどなんら意に介することもなく、災害対策もおざなりなままに、消費税大増税を予定どおりに断行し、社会保障の切り捨てをドシドシおしすすめているのだ。

まさにいま安倍政権は、没落軍国主義帝国アメリカの〝唯一の属国〟にふさわしく、トランプにつき従って対中国核軍事同盟としての日米新軍事同盟を飛躍的に強化しつつあるのだ。

憲法大改悪に狂奔

安倍自民党は昨秋の臨時国会において、野党をまきこんで衆議院憲法審査会の論議を再開した（すでに三回）。「憲法論議の促進」を語る玉木雄一郎の国民民主党を抱きこむなど、野党に楔を打ちこむことを狙っている。国民投票法改定案を早期に成立させ、自民党改憲案を提出する機をうかがっている。安倍は、幹事長・二階俊博や政調会長・岸田文雄に地元での憲法集会を率先してやらせ、これを手はじめに全国・全支部で〝草の根〟の改憲翼賛運動をまきおこせ、と号令をかけている。

安倍政権がおしすすめようとしている憲法改定の中心は、自衛隊の憲法への明記と緊急事態条項の創設にほかならない。さらに、教育は「国の未来を切り拓く上で極めて重要」と書きこもうとしているのは、教育の国家統制を飛躍的に強化しようとするものだ。――まさに安倍のもくろむ改憲こそは、〝アメリカとともに戦争する〟軍事強国として日本を飛躍させることにとっての、憲法上の〝制約〟を最後的に払拭するものであり、日本型ネオ・ファシズム憲法の制定以外のなにものでもない。

中東への日本国軍艦船の派遣

安倍政権・NSC（国家安全保障会議）は、戦雲に覆われる中東に自衛隊艦船を派遣することを十二月中の閣議で最終決定し、この一月中にも出動させようとしている。日本本土から護衛艦を出撃させ、アフリカ東岸のジブチに海賊対策の名目で配備されている哨戒機P3Cとで、ホルムズ海峡直近のオマーン湾などで「情報収集・警戒」にあたらせるという。このまぎれもない海外派兵を、国会承認が不要の防衛省設置法にいう「調査・研究」などという名目でおしすすめ、ことと次第では「防衛出動」にきりかえ戦闘行為を担わせるという、欺瞞的で悪辣な手法を駆使しているのだ。

彼らは、この派兵は「〔アメリカ主導の〕有志連合に加わるものではない」とおしだしている。だがこれは、まったくのインチキだ。NSC・防衛省はその実、アメリカ政府・軍当局とのあいだで、派遣する自衛隊艦船と中東に展開している米海軍（「有志連合」軍）との任務分担や情報共有のありかたなどをめぐる協議を、すでに何度もくりかえしている。バーレーンの米軍司令部に自衛隊の司令部要員を派遣しようとさえしているのだ。一旦ことあれば、派遣した自衛隊部隊は、米軍と一体となって対イランの軍事作戦を担うことになるにちがいないのだ。

ネオ・ファシズム支配体制の強化

改憲・安保強化・中東派兵に労働者・人民を賛同させ動員してゆくために、安倍政権は「中国・北朝鮮の脅威」論を鼓吹している。さらに徴用工問題をめぐる韓国大法院の判決を傲然と拒否し、戦前の植民地支配とそのもとでの朝鮮労働者・人民への筆舌に尽くせぬ蛮行をあくまでも正当化しつづけている。そのために〝国際法を守らない韓国の異常性〟なるものをヒステリックに喚き、「反韓国」の排外主義を労働者・人民に植えつけようとしている。

さらに安倍政権は、「愛国心」教育の強化など国家主義イデオロギーや、〝優勝劣敗〟のファシズム

・イデオロギーを労働者・人民に徹底的に注入している。杉田和博・北村滋ら警察官僚を中枢に据えたNSCの専制体制を強化し、マスコミを強権的・反動的に統制している。秘密保護法、共謀罪法などの治安立法を基礎に、たたかう労働組合や自治会の破壊に狂奔している。そのためにも、監視カメラを大増設し・その解像度を高め、空港や駅のみならず街頭にも顔認証システムをドシドシ導入し、労働者・人民の一挙手一投足を監視している。消費税増税を絶好の機会として、労働者・人民の政治的動向や生活実態を掌握し、かつ消費嗜好から思想性までを国家のもとに一元的に掌握するために、キャッシュレス決済の普及を促進している。まさにそれは、「国民総監視・総管理」体制の構築・強化以外のなにものでもない。

米—中（・露）が激突する現代世界のまっただなかで安倍政権は、軍国主義帝国アメリカの〝唯一の属国〟として、世界中に日本国軍を展開することに突き進んでいる。そのために〝日本型ネオ・ファシズム憲法〟というべきものに現行憲法を改悪せんとしているのだ。改憲と安保強化と中東派兵、これらの攻撃は、一つの事態の三つの側面として不離一体をなしている。＜軍国日本再興＞のためのこの極反動攻撃を絶対に許してはならない。

噴出する労働者・人民の怒り

安倍じしんが毎年春に主催してきた「桜を見る会」において、地元支持者などを改憲翼賛運動に動員するために、公費による不正接待＝買収が大々的におこなわれてきたことが暴露された。これに動転した安倍は、「安倍後援会としての収入、支出はいっさいない」とか「名簿のデータは復元できない」とかと、誰ひとり信じることのないウソ八百を並べたて、官僚どもを締めつけ総動員して居直りとおそうとしている。まさにそれは、NSC専制の強権的支配体制を強化してきた彼らの驕りと横暴と反人民性を全面的に露出する以外のなにものでもない。わが革命的左翼の奮闘に鼓舞されて、完全に馬脚を現した安倍とその政権にたいする労働者・人民の怒りは日に日に高まっている。

今日このとき安倍政権は、実質賃金のうちつづく低落のゆえにますます貧困を深める労働者・人民の苦悩など顧みることもなく、消費税の大増税を強行した。労働者・人民の〝個人情報〟を趣味・嗜好にいたるまで総監視・総管理のもとにおくキャッシュレス決済の促進、マイナンバーカードの使用強制などをからめてである。日本の農業、酪農・畜産業の壊滅をもたらしかねない日米貿易協定を、交渉経過も妥結結果もなんら明らかにせぬままに締結しその国会承認を強行した。教育労働者をはじめとする怒りの高まりを無視抹殺して、教育労働者に「一年単位の変形労働時間制」を導入する給特法（教育職員の給与等に関する特別措置法）改定案の成立を強行した。これこそは、殺人的な長時間労働と労務管理強化に呻吟している教育労働者を、さらに徹底的にコキ使うことをたくらむものだ。

今こそ、反人民性を剥き出しにする安倍ネオ・ファシスト政権への怒りを結集し、〈反安倍政権〉の闘いを広汎にまきおこそう！　〈改憲・安保強化・中東派兵〉に突進する安倍日本型ネオ・ファシズム政権を労働者・人民の総力で打ち倒そう！

三、安倍日本型ネオ・ファシズム政権を打倒せよ

Ⅰ　「連合」指導部による闘争抑圧を許すな！

安倍政権が全体重をかけて改憲に突き進んでいるこのときに、日本労働者階級のナショナルセンターを自称する「連合」の指導部は、「改憲反対」のとりくみをいっさいおこなおうとしない。いや、「改憲支持」を公言するUAゼンセン幹部を先頭に彼らは、平和フォーラム系労組などのとりくみを抑圧している。「原発推進」を叫ぶ電力総連などの労働貴族は、「原発反対」のとりくみを徹底的に押さえこんでいる。「共産党との共闘はありえない」と公言する「連合」会長・神津里季生ら労働貴族どもは、右派単産を支持母体とする国民民主党が「野党共

闘」に参加することへのタガはめに躍起になっている。

「連合」指導部は、昨年十月の「連合」大会で確認した基本方針において、平和運動のとりくみを「重点分野」から外し、日常的にはとりくまないものに格下げした。地方組織の権限を中央に集中し、県や地域レベルでの反基地の闘いや軍事演習に反対するとりくみを徹底的に抑圧しようとしている。

来たる二〇春闘に向けても、彼らは「連合」としては中小企業労働者や非正規雇用労働者の「格差是正のとりくみ」を前面におしだし、自動車や電機などの大企業労組は産別・企業ごとの独自のとりくみとするとしている。まさにこれは、〝産別的勢揃い〟という「春闘方式」の形式さえも最後的に投げ捨てるものだ。

「連合」指導部でもある自動車や電機などの大企業労組幹部どもは、「ジョブ型雇用の拡大」など、国際競争力を強化するために独占資本家どもが採っている経営施策＝人事・賃金制度の改変に全面協力している。〝労使運命共同体〟思想に凝り固まっている労働貴族どもは、これら経営施策をめぐる各企業ごとの労使協議・経営協議に、春季賃金闘争を完全に解消しようとしているのだ。

「連合」指導部の抑圧と敵対に抗し、労働戦線の深部から〈改憲阻止・軍事強国化反対〉の闘いを創造しよう！　二〇春闘を〈一律大幅賃上げ獲得〉のために戦闘的に高揚させよう！

「連合」結成から三十年――この三十年は、「連合」指導部を牛耳ってきた労働貴族どもによって、日本の労働組合運動の総体がネオ産業報国運動として、独占ブルジョアどもと政府に奉仕する運動とされてきた歴史以外のなにものでもない。バブル経済崩壊以後の〝デフレ不況〟ののりきりのために、労働者・人民にありとあらゆる犠牲を転嫁し強要してきた独占ブルジョアどもの要求を唯々諾々と呑み、下部組合員と日本のすべての労働者に犠牲を押しつけてきたのが「連合」指導部だ。今こそこの労働者階級の敵である労働貴族を弾劾し、「連合」の脱構築のために奮闘しよう！

Ⅱ　「野党連合政権」の夢にすがりつく日共指導部

日本共産党の不破＝志位指導部は、この一月に開催する予定の第二十八回党大会の決議案において、党創立一〇〇年の二〇二二年までに「野党連合政権」を樹立するという目標を掲げている。次の総選挙に向けて、「政権を共にする合意」を立憲民主党および国民民主党からとりつけるために、なりふりかまわず媚び売りに勤しんでいるのが代々木官僚どもだ。

彼らが大会決議案の目玉商品としてうちだした、「野党連合政権」樹立によって実現するという「安倍政治からの転換の三つの方向」なるものを見よ！　保守政党である立憲民主党や国民民主党が掲げている政策をそのままとりこんだようなものでしかないではないか。各党との「政策上の不一致点」はもちこまないと称して、とりわけ安全保障政策では自衛隊を合憲と認め・安保条約を是認することを固く誓っている。改憲阻止・反戦反基地闘争をたたかうすべての労働者・学生への重大な背信だ！　怒りを込めて弾劾せよ！

「綱領改定」の反プロレタリア的内実

代々木官僚は、この党大会で「綱領」を改定するとブチあげた。委員長・志位和夫はアケスケに言う。この綱領改定は「日本共産党にたいする誤解、偏見をとりはらう大きな力になる」と。要するに、香港やウイグルで強権的に人民を弾圧している中国のような「社会主義」を日共がめざしていると思われては、他の野党から「連立政権」で合意してもらえないし、選挙での票も逃げてしまう、これを避けるためなのだ、と。

しかも、この改定案なるものの内容たるや、反プロレタリア的腐敗をきわめるものにほかならない。

第一に、中国にたいする評価を百八十度変えたことだ。中国は「社会主義をめざす新しい探究が開始」された国、という現行綱領の規定。これを、中国は「世界の平和と進歩に逆流する大国主義・覇権主義」だ、とひっくり返した。二〇〇四年に不破哲三が主導した綱領全面改定＝現行綱領制定の核心のひとつであった中国規定、その全面削除は〝不破綱領〟の破産の自認以外のなにものでもない。

〇四年には中国を「社会主義をめざす国」と規定する合理的根拠があったが、この数年来問題がでてきたので評価を変えた、などと言う。これほど厚顔無恥な弁解があろうか。当時、不破が中国を礼賛しはじめたことにたいして、わが同盟は反スターリン主義者としての矜持にかけてイデオロギー的十字砲火を浴びせかけた。「市場社会主義」を自称する中国の反マルクス主義的本質を暴きだすとともに、これを天まで持ちあげる代々木官僚を徹底的に弾劾し、日共下部党員たちに不破＝志位指導部にたいする批判・反逆をつくりだしてきたのだ。中国＝「社会主義をめざす国」規定の撤回こそは、わが同盟の批判への日共転向スターリニスト官僚の完全屈服を意味する。

第二に、綱領改定案において代々木官僚は、「社会主義をめざす流れ」が発展している、という時代認識にかかわる規定を削除した。これに代えてうちだしたのが、「一握りの大国」ではなく「世界のすべての国ぐに」と「市民社会」が「世界政治の主人公」である時代になっている、というものだ。

〝もろもろの国家権力者とともに「市民社会」＝NGO（非政府組織）・学者・議員などが国際政治を動かしている〟――こんなものは「時代認識」などと呼べるしろものではない。いまも戦乱と貧困と強権支配のもとに苦悩している全世界の労働者・人民からまったくかけ離れているではないか。こんな能天気な〝国際政治の進歩史観〟をもってしては、「東西冷戦」終結以後三十年の、人類滅亡の危機さえはらんでいる世界史的現実の分析などできるはずがない。

第三は、「未来社会論」にかんする新テーゼを書きこんだことだ。〝資本主義がつくりだした成果を継承し発展させることこそが社会主義・共産主義の大道だ〟などと。志位はこれを「世界史的な『割り切り』をした」ものだ、とほざいている。まさに真正の修正資本主義でしかないものを「社会主義」と呼ぶと「割り切った」というわけなのだ。ここに、今日の日共式「未来社会論」すなわち理念の完全なブルジョア化が剥き出しになっているではないか。

たたかう労働者・学生諸君！　ブルジョア国家権力を打倒するプロレタリア革命を全面否定し、価値法則の揚棄・労働力商品化の廃絶を根幹としたマルクスのイデーに真っ向から敵対する背教者＝日共・転向スターリニスト官僚を階級的憤怒を込めて弾劾せよ！　このアンチ革命の党の革命的解体をうながし、良心的な日共下部党員をわが反スターリン主義運動の戦列に獲得するイデオロギー的＝組織的闘いを、総力をあげて推進しようではないか！

Ⅲ　〈改憲阻止・安保粉砕・中東派兵阻止〉に起て！

今こそわれわれは、憲法改悪・日米安保同盟強化・中東派兵に反対する闘いを、総力をあげて展開するのでなければならない。

この憲法改悪と日米安保強化、中東派兵は、米・中激突のまっただなかにおいて、アメリカの唯一の〝属国〟の政府である安倍政権が、わが日本労働者階級・人民に仕掛けてきた極反動攻撃の、その三つの側面として不離一体のものである。そうであるがゆえに、われわれはこれらを一体の課題として設定し、たたかうのでなければならない。

日共の不破＝志位指導部は、「野党連合政権」構想への合意をとりつけることを何よりも優先していることのゆえに、立憲民主や国民民主が拒絶することが明白な「反安保」を完全に放棄している。それどころか「九条改憲阻止」や「中東派兵反対」の大衆的闘いを組織しようともしないのだ。日共中央を弾劾し彼らの組織している運動をのりこえ、〈憲法改悪阻止・日米安保粉砕・中東派兵阻止〉の闘いを戦闘的・革命的に創造しよう！　安倍による「桜を見る会」での不正接待＝買収、その居直りを絶対に許すな！　〈反安倍政権〉の闘いを広汎に組織し、安倍日本型ネオ・ファシズム政権を打ち倒そう！

Ⅳ　習近平政権の香港人民への血の弾圧を弾劾せよ

たたかう香港人民と連帯し、習近平政権の流血の大弾圧を徹底的に弾劾せよ！

習近平はいまや「中央が特別行政区にたいし全面的管轄統治権を行使する」と言い放っている。「一国」あっての「二制度」だと強弁し、「高度な自治」などあとかたもなく否定しているのだ。反人民的・人非人的本性を剥き出しにするネオ・スターリン主義官僚どもを絶対に許すな！

いま香港のたたかう学生・労働者には、逮捕・長期投獄・「思想教育」という名の拷問などの弾圧攻撃がかけられ、多くの闘士が闇から闇へと葬りさられようとしている。監視カメラやインターネットを活用しての監視がますます強化され、さらなる弾圧の嵐が吹き荒れようとしている。

香港の人民に訴える！　今こそ敵＝ネオ・スターリン主義官僚どもの反労働者性・反マルクス主義性を明確につかみとり、みずからのめざすべきものを自覚しよう！　そのためには、ハンガリー革命の血の教訓に、ポーランドでの自主管理労組を創造してのストライキ闘争の敗北の教訓に、何よりも北京官僚によって血の海に沈められた天安門事件の教訓を学び打ち固めてたたかおう！

香港のたたかう労働者・学生・人民は、今こそ非公然の組織（＝地下党）を創造する困難な闘いに着手せよ！　スターリニズムの虚偽性を自覚し、〈反スターリン主義〉の真実の前衛党を建設するために奮闘しよう！　中国本土の労働者・人民は、たたかう香港人民と連帯して、習近平政権による血の弾圧に反対する闘いに決起せよ！　ネオ・スターリニスト官僚政府の打倒をめざして闘いに起ちあがれ！

そして日本の・全世界の労働者階級・人民は、香港の人民に連帯して習近平政権弾劾の闘いを創造しよう！　〝中国共産党とは無縁である〟という弁明に汲々とする日共・不破＝志位指導部を弾劾せよ！

四、革命的マルクス主義の真価を発揮せよ！

Ⅰ　＜暗黒の二十一世紀世界＞をくつがえせ

天安門事件・ベルリンの壁崩壊から三十年、スターリン主義ソ連邦の自己解体的崩壊から二十八年。いま現代世界は、末期資本主義の〝悪〟が全世界を覆い尽くしている。戦乱と貧窮と強権支配、ＡＩによって促進されてもいる人間の資本主義的疎外の深まり＝〝人間の滅び〟、そして地球環境の破滅的破壊、これらに全世界の労働者・人民は呻吟させられている。

この三十年、独占ブルジョアどもと帝国主義諸国権力者どもは、全世界各地で搾取と収奪をほしいままにしてきた。多国籍化した独占諸資本が〝安い労働力〟を求めて全世界を駆けめぐることによって、労働者・勤労人民は先進国と後進国、旧スターリン主義国を問わず〝底辺に向かっての競争〟を強いられ、貧窮の極みへと追いやられてきた。ＧＡＦＡ（グーグル、アップル、フェイスブック、アマゾン）などひとにぎりのＩＣＴ産業（プラットフォーマー）の独占資本家どもが巨万の富を築いている。その裏面では、膨大な労働者が非正規雇用とか「雇用によらない働き方」（＝「個人事業主」の偽装）とかの雇用形態のもとで、極低賃金と超長時間労働・労働強度の飛躍的な強化を強制され、次から次へと街頭に放り出されている。

　戦乱の続発と熱核戦争の危機の高まり。貧富の格差の驚異的な拡大と貧困・飢餓の蔓延。強権的支配の横行と反対運動への暴力的弾圧。〝民族浄化〟などもろもろのエスニック集団への迫害。巨大独占体と米・日・欧の帝国主義権力者や中国の権力者どもによって主導されているスマートフォンなどＩＣＴ機器の開発とその労働者・人民への押しつけ。ＡＩを活用しての認証システムや評価システムのあらゆる場面への導入、そしてＡＩの軍事利用。地球環境破壊・地球温暖化の破局的進行は、いまや台風や豪雨など〝自然災害〟の甚大化と頻発をひきおこしている（「五十年に一度」と当局者がいう台風・大雨が毎年何度もおこっているほどだ）。――これが、「ベルリンの壁崩壊」から三十年を経た、腐朽の極みにある世界史的現実なのだ。

　この悲惨にたいして、呻吟させられている労働者・人民の憤激は高まっている。世界の各地で、アジアで・ヨーロッパで・中東で・そして中南米で、怒れる労働者・人民は反政府の闘いを燃えあがらせている。だがそれらは、プロレタリア階級闘争の全世界的な高揚として実現されてはいない。まさにその根拠は、くりかえされてきたスターリン主義の歴史的犯罪・その反労働者性が、それがニセのマルクス主義でしかないことが、今なお全世界の苦悶し苦闘する労働者・人民に自覚されていないがゆえに、彼らが進むべき針路を見失っていることにこそある。

　＜暗黒の二十一世紀＞というべき現代世界のこの〝闇〟は、まさにスターリン主義の超克をこそ、すべての苦闘する労働者・人民に問うている。まさにわが反スターリン主義運動を飛躍的に前進させることこそが、われわれにいよいよ課されているのである。このことこそは、わが反スターリン主義運動が・その思想と理論が、全世界労働者・人民を捉える日が近いことを意味する！　すべての仲間は決意もあらたに奮闘しよう！

Ⅱ　黒田思想をわがものに強大な前衛党組織を建設しよう！

わが同盟はこの一年、激動してやまない現代世界に革命的マルクス主義者としての実践的立場を拠点に対決し、その動きを読み、そのわれわれにとっての意味を明らかにするとともに、その変革の指針を的確に解明し・これを物質化するために奮闘してきた。

北京官僚の強権的支配を打破するための香港人民の闘いの高揚と、習近平政権によるその武力弾圧。これにたいしてわれわれは、転向スターリニストをはじめ全世界の〝左翼〟が沈黙したり客観主義的評論でお茶を濁したりしているのを弾劾し、まさに反スターリン主義者としての矜持にかけて仁王立ちになってたたかってきた。九月十四日のサウジアラビア石油施設への攻撃の真相と深層を、そのわれわれにとっての意味を暴きだし全世界の人民に訴えてきた。イランの満を持したこの攻撃こそは、暴虐をほしいままにしてきた軍国主義帝国アメリカのシーア派宗教国家イランへの敗北を、またアメリカ帝国主義の中東支配の最後的終焉を意味することを、断固として暴きだしてきたのだ。

これらのわが闘いこそは、われわれがたえず同志黒田寛一の教えに学び、これを現実につらぬくことを意志し努力してきたがゆえに、可能になったものにほかならない。

「実践の場所の哲学」の主体化と実現を！

同志黒田の「実践の場所の哲学」を実現することなしには、全世界プロレタリアートの自己解放はなしえない。――われわれはあらためてこのことを肝に銘じ、同志黒田の哲学をおのれの背骨とするために努力するのでなければならない。

同志黒田は、われわれが理論的に混迷したり、偏向を犯したりしたときに、つねにいつでも「哲学に還れ」と語り・かつわれわれに教えを与えてくれた。二〇一八年から昨一九年にかけて刊行した『マルクス主義入門』全五巻は、一九六二年秋に本多延嘉や清水丈夫ら当時の政治局多数派＝のちのブクロ官僚一派によるわが同盟の基本路線の逸脱・破壊に抗し、革共同第三次分裂にいたる党内闘争をたたかう・その渦中において、黒田が若き仲間たちに哲学からはじめ・頭の回し方をつくりなおすことをうながすためにおこなってくれた講演を中心にしている。そこに集約されている黒田の哲学を、彼の語り口・息づかいをふくめて学びなおし、みずからの哲学的基礎を打ち鍛えることに何よりも努力するのでなければならない。

同志黒田の哲学の核心は次の諸点にある。

α．主客の場所的弁証法、これこそが革マル主義の骨である。

β．場所の下向・上向による概念的把握という認識論。

γ．実践論――まずは「誰かが・誰かに」、次に「オイラが・誰かに」。

すべての諸君！　同志黒田の諸著作に学び、彼の哲学をわがものにするために、相互に切磋琢磨しようではないか。

われわれの組織哲学をつらぬこう！

われわれの組織づくりの根底に脈打っている、われわれの「組織哲学」というべきものについて。

「前衛党組織を創造するために日々たたかっている共産主義者は、プロレタリア階級の階級的特殊性として意義をもつ組織的全体性を内在化し体現している存在である。共産主義者の個別的主体性には組織的全体性がつらぬかれているのであって、革命への自己犠牲的献身性も同志愛も組織的連帯および結束もそこから湧きおこるのである。共産主義者たらんとしているこの私が前衛党組織の一員であるということは、この組織が私であることにほかならない。」（「組織建設の現在的環」『革マル派 五十年の軌跡・第四巻』ＫＫ書房刊所収、五二九頁）

＜私が組織であり、組織が私である＞、このことを自覚するのみならず感覚にまで高めることにすべての同志が努力する。それが、わが組織を労働者階級の真の前衛党として打ち鍛えてゆくための絶対的基礎をなす。

われわれがその建設のために尽力しているわが前衛党とは、共産主義社会（コミューン）を場所的に実現するものとして、「永遠の今」として意義をもつのでなければならず、「人間変革の溶鉱炉」（梅本克己）でなければならない。このことを肝に銘じ、わが組織づくりに励もうではないか。

内部思想闘争を生動的に実現しよう

われわれは昨秋、内部思想闘争の武器であるわが同盟機関紙『解放』を、それにふさわしいものとしていっそう磨きあげるために、全組織的な論議をつうじてその紙面改革を実現した。六面だて・カラーページの豊富化というあらたな装いで、たたかう労働者・学生に理論的・思想的武器を送り届けている。習近平政権にたいする香港人民の闘い、サウジ石油施設攻撃事件、安倍政権の改憲策動など、激動する情勢や次々にまきおこる事件にかんするわが同盟の見解、反戦反安保闘争や春闘・政治経済闘争などのわが同盟の大衆運動路線を続々と明らかにしてきた。同時に、たたかう労働者・学生の革命的マルクス主義者への自己形成の一助となるように学習・理論論文を充実させてきた。全国各地における労働者・学生の闘いをイメージ豊かに報告するために、カラー写真をふんだんに掲載してきた。

機関紙上に掲載したわが同盟の闘いの檄や報告は、いま、日本全国のみならず、アジア・中東・欧州・南米など、世界各国のたたかう人民から熱烈な共感をもって迎えられ、待ち望まれている。〈反帝国主義・反スターリン主義〉戦略を背骨とするわれわれは、今こそわが運動を全世界におしひろげるために断固として奮闘しなければならない。

そのためにわれわれは、同志黒田の教えにたちかえり、革マル主義者にふさわしい思想・思考を身につけるのでなければならない。われわれが、時々の情勢・まきおこる諸事件を、いかなる立場にたって、いかなる価値意識・価値判断・価値基準にもとづいて、下向的に分析し・かつ叙述するかということを、一人ひとりが自己に問い、また相互に切磋琢磨しなければならない。まさにそのために、われわれの一人ひとりが、わが革命的左翼に伝統的な組織内思想闘争を躍動的に発展させるために奮闘しよう！

すべての諸君！　燃えたぎる革命への情熱とわが運動への確信を打ち固め、〈暗黒の二十一世紀〉を突き破って前進しよう！

アメリカのイラン攻撃阻止！日本の中東派兵を阻止せよ

憲法改悪・安保強化の攻撃を打ち砕け

中央学生組織委員会

本二〇二〇年の劈頭にあたって、わが中央学生組織委員会は日本の、そして全世界の学生・労働者に訴える！　アメリカのイラン軍事攻撃を絶対に阻止するために、今こそ反戦の闘いに決起せよ！

一月二日(ワシントン時間)、軍国主義帝国の大統領ドナルド・トランプは、米軍にイラク上空からのミサイル発射を命じ、バグダッド空港から車で出発した直後のイラン革命防衛隊の司令官ソレイマニを爆殺した。このトランプ政権にたいして、ただちに軍事的「報復」を宣言したイラン権力者ハメネイの指示にもとづいてイラン全軍が臨戦態勢に突入している。

すべての全学連の学生諸君！　いまやイラク駐留米軍とシーア派民兵組織との戦闘が激化し、アメリカとイランとの戦争の危機が切迫している。トランプのアメリカによる戦争放火を許すな！「アメリカのイラン軍事攻撃阻止」の反戦闘争にただちに起て！

トランプ政権の要求に応えて安倍政権は、自衛隊の艦船・哨戒機をオマーン湾などの海域に派遣しようとしている。まさに、日本国軍が対イラン軍事作戦に米軍と一体となって突入しようとしているのだ。日本の労働者・学生は、日本の参戦を絶対に許してはならない！　全学連の学生は、自衛隊の中東派遣を阻止する闘いに全国から総決起せよ！

安倍政権はいま、憲法大改悪の総攻撃を全体重をかけてふりおろそうとしている。改憲発議に道筋をつけるために、まもなく召集される通常国会の憲法審査会において改憲案をめぐる論議に何が何でも着手しようとしているのだ。憲法審査会の開会を絶対に許してはならない！〝アメリカとともに戦争をやる国家〟へと日本をつくりかえる憲法大改悪の攻撃を、労働者・学生の闘いの力で木っ端みじんに打ち砕け！　職場深部でたたかう労働者と連帯して、全国のキャンパスから改憲阻止のうねりを創造せよ！

日本へのアメリカの中距離核ミサイルの配備を絶対に阻止せよ！　米・日の権力者が日本列島を対中国の核ミサイル前線基地としてうち固めることを、断じて許してはならない！　中距離ミサイルの配備

目　次

に反対する闘争の組織化を完全に放棄する日共中央を弾劾せよ！　＜日米核安保粉砕＞の旗を掲げてたたかおう！

＜反安倍政権＞の闘いを広範に組織し、中東派兵・改憲・安保強化に突き進む安倍日本型ネオ・ファシズム政権を打倒せよ！

全学連のたたかう学生諸君は、1・25対アメリカ大使館・首相官邸闘争に勇躍決起せよ！

Ⅰ　中東・アジアで高まる戦乱勃発の危機

A　イラン司令官爆殺を強行したアメリカ権力者

アメリカ大統領トランプがみずから米軍に指示を出して実行したイラン革命防衛隊司令官ソレイマニの爆殺。このアメリカ帝国主義権力者の軍事攻撃にたいして、怒りを燃えあがらせたイランのシーア派ムスリム人民は、首都テヘランをはじめ街頭を反米デモで埋めつくしている。腹心の部下を奪われたイラン権力者ハメネイは、シーア派最高指導者の名において「アメリカはこの犯罪行為のすべての責任を負うことになる」と宣言し、対米報復を予告した（ハメネイ臨席の「最高安全保障委員会」において「報復」の具体的方針が決定されたといわれている）。これに呼応してイラクのシーア派民兵組織「人民動員隊」も、「全戦闘員は来たる戦いに備えろ。血の代償として、米軍のイラク駐留を終わらせる」と宣言を発した。

燃えさかるこの反米デモに直面したトランプは、イランがアメリカへの報復攻撃をおこなったならば「イラン全土五十二ヵ所を激しく空爆する」などと叫びたてている（「五十二」とはかつて一九七九年の在イラン米大使館占拠事件のさいのアメリカ人人質の数）。他方、アメリカの同盟国イスラエルの首相ネタニヤフは急きょ外遊から帰国し、イランとの戦争を構えた臨戦態勢に全軍を突入させた。

まさにいま、米―イラン戦争勃発の危機が、そし

中東派兵閣議決定弾劾！　全学連が首相官邸前で抗議闘争（2019年12月27日）

てイスラエルをふくめ全中洋地域をまきこんだ戦乱勃発の危機が急切迫しているのである。

爆殺されたソレイマニは、イラン革命防衛隊のなかでも対外工作を専門とする精鋭「コッズ部隊」の総司令であり、イラクにおけるシーア派民兵組織育成、レバノンのシーア派組織ヒズボラの支援、シリアにおけるIS（「イスラム国」）掃討作戦などを指揮・統括してきた人物であった。このソレイマニをトランプ政権がいまこのときに殺害したのは、イラクのシーア派武装組織「カタイブ・ヒズボラ」によるイラク北部での米軍施設へのロケット攻撃敢行（昨一九年十二月二十七日）、在イラク米大使館を包囲し火を放った反米デモ（同三十一日）など、あいつぐ反米闘争に直面し、これにイラン革命防衛隊が直接間接に関与しているとアメリカ権力者がみなしたからにほかならない。

しかもこれらと時をほぼ同じくして、アメリカ主導の「有志連合」に真っ向から対峙するかたちで、中・露・イラン三ヵ国軍がオマーン湾で初の合同海上演習をおこなった（十二月二十七～三十日）。事実上の反米同盟をとりむすぶにいたっている中・露両国家の権力者が、いまや中東地域においてシーア派反米国家イランを政治的・軍事的に支えるかたちで没落軍国主義帝国アメリカの前に公然と立ちはだかるにいたったのだ。この中・露をバックとしてイラン権力者は、――アメリカ帝国主義の経済制裁と軍事的威圧にさらされながらも――シーア派の「三日月地帯」(イラン、イラク、シリア、レバノン)と呼ばれる勢力圏をうち固めると同時に、駐留米軍や外交官などに狙いを定めた反米闘争の支援に力を注いできた。アメリカ帝国主義の長年にわたる中東支配を根幹から揺るがした、かの〈9・14サウジアラビア石油施設攻撃〉いこう勢いづくこのイランの策動をおしとどめるためにこそ、トランプ政権は――おそらく国務長官ポンペオや副大統領ペンスや国防長官エスパーら親イスラエル・対イラン強硬派の〝トランプ側近〟の主導のもとに――イランの対外工作の要をなすソレイマニに狙いを定めて暗殺作戦を強行したのである。

ソレイマニ殺害の直後に開かれたキリスト教福音派の集会(フロリダ州マイアミ)においてトランプは「アメリカ人は神から多くの祝福を受けているが、最もすばらしいのは世界最強の米軍に守られていることだ」などとほざいた。〝キリストが再臨するにはパレスチナの地はユダヤ教徒のものでなければならない〟と考えている福音派を大統領選にむけた支持基盤として固めんがために、シオニスト・イスラエルの脅威となってきたソレイマニの抹殺を「神(キリスト)」の名において正当化したのがトランプなのだ。ここに、大統領トランプを頭にいただく軍国主義帝国アメリカの野蛮と凶暴性が、このうえもなくむきだしになっているではないか。

アメリカのソレイマニ殺害にたいして、ロシア外相ラブロフは即座に「国際法を著しく犯すものだ」と非難した。司令官殺害作戦を強行したトランプ政権にたいして、イランを支える中・露両権力者は政治的対抗を強め、両者の角逐はいよいよ激化しないわけにいかない。

こうしたなかでアメリカ帝国主義がイランへの軍

事攻撃の引き金をひくならば、それはただちに、互いに核戦力を強化しあっている米―中・露の全面的激突へと連動しかねないのである。

B　トランプの対北朝鮮制裁と金正恩の「長期戦」宣言

東アジアにおいてはトランプ政権は、北朝鮮の金正恩政権をたびかさなる経済制裁と在日・在韓米軍を動員しての軍事的恫喝とによって締めあげている。

このかん、対米交渉期限を「二〇一九年末」に区切り、トランプから「制裁解除」の言質をとるためにＩＣＢＭ（大陸間弾道ミサイル）の発射をちらつかせてきた金正恩。この金正恩にたいしてトランプは、戦略爆撃機Ｂ52をはじめとする核戦力を朝鮮半島周辺に差し向けつつ、「使いたくないが必要なら軍事力を使う」「北朝鮮が敵意を示せばすべてを失う」と、北朝鮮が「完全な非核化」措置をとらないかぎり経済制裁措置をいっさい解除しない、という意志を傲然と突きつけた。このトランプの強硬姿勢に直面し追いこまれた金正恩は、みずから設定した交渉期限ぎりぎりの昨年末に四日間（十二月二十八～三十一日）にわたって朝鮮労働党中央委員会総会を開催した。この総会において正恩は、アメリカとは「長期的対立」になる、「われわれの抑止力強化の幅と深度は、アメリカの今後の北朝鮮にたいする立場による」と、対米の「長期戦」を構えなおさざるをえなくなったのである。

トランプから昨年中に「制裁解除」の言質をとりつけることに失敗した金正恩は、いまや「われわれは今後も制裁下で生きていかなければならない」と――金正恩個人による「新年の辞」ではなく中央委員会総会の名において――人民に向かって宣言した。核兵器開発の費用を捻出するために、北朝鮮の出稼ぎ労働者たちからしぼりとった上納金や、粗末な木造船で酷寒の海にくりだした漁民たち――彼らの多くは荒波に呑まれ命を落としている――の獲得した水産物などを、数少ない外貨獲得の手段としてたのみながら。厳冬下において人民に飢えと寒さを強制しつつ手にした「戦略兵器」＝核兵器を、おのれのネポチズム支配体制護持のためにあくまでも握りしめているのが金正恩政権にほかならない。

この金正恩政権を背後で支えているのが中国・ロシア両権力者である。彼らは、〝北朝鮮が二年以上ＩＣＢＭを撃っていない〟ことを理由に、国連安保理に「北朝鮮労働者の送還の凍結」を主な内容とする決議案を提出したり、北朝鮮の出稼ぎ労働者（の一部）を国連安保理決議に定められた送還期限（昨年十二月二十二日）を過ぎても国内にとどまらせたりしている。

いま金正恩政権は、「勝利するには強力な政治的・外交的、軍事的担保が必要」と、あくまでも中・露の支援を頼みの綱としながら、「正面突破戦」の名におけるアメリカ帝国主義との長期の交渉を身構えている。この先、トランプ政権が北朝鮮にとって有利なディールに応じることなく、あくまでも経済制裁を継続するならば、追いつめられた金正恩は、局面打開のために〝窮鼠猫を咬む〟式にＩＣＢＭの発射などに踏みきる衝動を高めるにちがいない。もしも北朝鮮がＩＣＢＭの発射を強行したならば、「ＩＣＢＭの発射をやめさせた」ことを大統領選にむけた数少ないアピール材料にしてきたトランプは、対北朝鮮の軍事的強硬策へと一挙に舵を切るにちがいない。明らかにいま、朝鮮戦争勃発の火種はふくらみつつあるのだ。

Ｃ　激化する米―中・露の核戦力強化競争

イラン・北朝鮮への経済制裁や軍事的対応をめぐって軍国主義帝国アメリカと、中国・ロシアとが、中東・東アジアを舞台として対峙し角逐を強めている。また、総統選の投票が一月十一日に迫った台湾をめぐっては、「一国二制度」に反対し「反浸透法」の制定をうちだしている現職・蔡英文を軍事的・政治的に支援するアメリカと、台湾は中国の「核心的利益」であり「外部勢力の介入」は許さないと叫びたてる中国とが角逐の火花を散らしている。

このアメリカと中国・ロシアとの核戦力強化競争は、いまや宇宙空間にまでその舞台をひろげ熾烈化

辺野古土砂陸揚げ阻止の海上行動（2019年12月14日）

しつつあるのだ。

アメリカ帝国主義のトランプ政権は、地上発射型中距離弾道ミサイルの発射実験「成功」(昨年十二月十二日)にふまえ、中国・ロシアを射程圏内におさめる中距離ミサイルの東アジアへの実戦配備に一刻も早くこぎつけようとしている。すでに二〇〇〇発の中距離核ミサイルを配備し、東アジア各地の米軍基地に照準をあわせている中国。MD(ミサイル防衛)システムをかいくぐることのできる新たな極超音速ミサイルの開発・配備をすすめているロシア。この両者にたいしていつでも核攻撃を加え壊滅的打撃を与えうる態勢を、トランプ政権は急速に東アジアに、なかんずく「安保の鎖」で締めあげた「属国」日本の国土全域に、構築しようとしているのだ。

これにたいして、すでに大量の中距離核ミサイルを配備している中国・習近平政権は、米本土攻撃能力の向上をトランプ政権にたいして誇示するために、新型のSLBM(潜水艦発射型弾道ミサイル)の発射実験を強行した。ロシアのプーチン政権は、アメリカが弾道ミサイルの発射実験を強行したその直後に、アメリカのMDシステムをかいくぐることができるとされる極超音速中距離ミサイル・アバンガルドの実戦配備に踏みきった。

地上における中距離ミサイルの開発・配備競争に狂奔しているアメリカと中・露の権力者どもは、双方が「第四の戦場」とみなす宇宙空間においても、〝制宙権〟をめぐる熾烈な軍拡競争をくりひろげている。

トランプは、一万六〇〇〇人規模の「宇宙軍」を創設することを謳った「国防権限法」に署名した(昨年十二月)。現在の米軍のあらゆる軍事作戦行動には宇宙空間の衛星が利用されており、軍事衛星は米軍にとっては目や神経系統の機能を果たす。この軍事衛星を破壊する能力を向上させている中国およびロシア、この両国軍による宇宙空間での米軍への攻撃を封じるために、陸・海・空・海兵隊などと並ぶ新たな軍種としての宇宙軍の設立に踏みきったのである。これに呼応してアメリカの「属国」日本の安倍政権も、米宇宙軍の補完部隊として自衛隊内に「宇宙作戦隊」なるものを編成することを決定した。

日本を従えたアメリカによるこの宇宙軍創設の策動に対抗して、中国権力者もまた、米軍の衛星を破壊する兵器(地上発射型のみならずレーザー兵器など)の開発、いわゆる中国版GPSの精度をあげるための「北斗三号」の打ちあげ(六月までに新たに二基)、近い将来の独自の有人宇宙ステーションの建造や火星探査機の打ちあげをめざしての大型ロケットの打ちあげ実験などを次々とおこなっている。

米―中・露の先端技術開発競争ならびにいわゆる米中「貿易戦争」とも密接にからまりあったところの核戦力強化競争――それは、二十一世紀世界の覇権をめぐる両者の対決のまさに焦点をなす。ソ連邦崩壊後に世界の「スーパーパワー」然として野蛮と専横を極めることによってみずから墓穴を掘り、いまやかつてない没落をあらわにしている軍国主義帝国アメリカと、これを急速に追いあげる「市場社会主義国」中国・ならびにこの中国とのあいだで――

昨年六月の中露首脳会談を区切りとして――条約なき事実上の軍事同盟をとりむすんだロシア。この米―中・露の、二十一世紀の覇権をかけた政治・軍事・経済のあらゆる部面にわたる激突が熾烈化しているのが現代世界なのだ。まさしくこのゆえに、アメリカ帝国主義がイランにたいして、あるいは北朝鮮にたいして軍事攻撃をしかけるならば、それは人類を灼き尽くす第三次世界大戦への序幕となる現実的可能性を孕んでいるのである。

Ⅱ　中東派兵・改憲・安保強化に突き進む安倍政権

アメリカと中国・ロシアとの世界的な激突のもとでの世界的な戦乱の危機の高まりという国際情勢の大激動のただなかで、安倍政権は、中東派兵、憲法大改悪、辺野古新基地建設・中距離核ミサイルの配備といった総攻撃を、労働者・学生・人民の頭上にふりおろしている。

米軍が強行したイラン革命防衛隊司令官の爆殺。これを決定的な契機として、イラクに駐留する米軍と革命防衛隊の指揮下にあるシーア派の民兵組織の軍事衝突が激しさを増し、トランプのアメリカとハメネイのイランとの戦火さえもが噴きあがろうとしている。この緊迫した局面において、一月末にも、イランの目と鼻の先に位置するホルムズ海峡近海のオマーン湾などに日本国軍（海上自衛隊）の護衛艦とジブチ（アフリカ東岸）に配備しているP３C（哨戒機）を派遣しようとしているのが、安倍政権にほかならない。

この中東派兵を閣議決定（昨年十二月二十七日）するにあたって「日本独自の取り組みで有志連合には加わらない」などというゴマカシを弄したのが安倍政権であった。だがしかし、司令官爆殺に際してトランプ政権（イラン政策を統括する特別代表フック）が、「日本がいれば、われわれの目と耳が増える」などと自衛隊部隊を米軍部隊の〝目と耳〟とすると明言した。この言辞にこそ、日本帝国主義国家の国家意志にかかわりなく、トランプ政権が日本の派遣部隊を米海軍第五艦隊を中心とする「有志連合」の中核に組みこむことを構想していることが鮮明になっているのだ。今まさに出撃しようとしている日本国軍を待ち受けているのは、戦火が噴きあがるペルシャ湾周辺海域にちがいない。

トランプその人の指示にもとづく革命防衛隊司令官爆撃という国家テロルによって、アメリカ・イスラエルと、反米国家イランおよびそれにバックアップされた「シーア派三日月地帯」のイラク・シリア・レバノン・イエメンなどのシーア派勢力との中東全域を舞台とした新たな大戦が勃発する危機が切迫している。この中東地域への日本国軍の派遣に踏みきり、そうすることによってトランプのアメリカと心中する道へと進もうとしているのが、日米軍事同盟の鎖でしばられた日本の安倍政権なのだ。「日本はイランと友好国」などとおしだしてきた安倍政権は、いまやシーア派国家イランの、さらにはすべてのシーア派民衆にとっての仇敵たるトランプの忠実な僕（しもべ）としての姿を暴露したのである。

中東・東アジアなどの全世界において〝アメリカとともに戦争をやれる国〟へと日本国家を雄飛させようとしている安倍政権は、「戦争放棄・戦力不保持」を謳った憲法第九条を実質的に破棄し、労働者・人民を戦争へと動員することができるように「緊急事態条項」を創設する――これらを柱とする憲法大改悪にうってでようとしている。この政権は、一月二十日に召集されようとしている通常国会において、改憲発議への道筋をつけるために、憲法審査会における改憲案をめぐる審議をなんとしてもすすめようと血眼となっている。

この首相・安倍晋三は、みずからの後援会員や自民党員などの〝手兵〟＝改憲運動員を公費を使って接待づけにしてきたいわゆる「桜を見る会」問題、および安倍自民党と改憲ファシスト連合を組んでいる日本維新の会の議員も汚職に連座しているＩＲ（カジノを中心とする統合型リゾート）疑獄の暴露によって、労働者・学生の怒りに包まれている。これを背景として、自民党内で「安倍四選反対」という気運が醸成されつつある。こうした形勢のなかで安倍は、自民党総裁・首相在任中にみずからの手で憲法改定をなしとげるために、今国会において改憲案をめぐる論議を終了し国会による国民投票の発議へと持ちこむことを企んでいるのだ。

改憲の気運を醸成することを狙って、安倍は、日本型ネオ・ファシズムの党＝自民党の総裁たるの資格において、幹事長・二階俊博や政調会長・岸田文雄らを旗振り役として、各地で憲法集会を開催させるとともに、この集会に、「桜を見る会」において公費で接待づけにしてきた改憲運動員を出席させているのだ。これをテコとして、選挙区ごとに、〝下からの改憲翼賛運動をまきおこせ〟と発破をかけているのだ。

専横と強権、腐敗まみれの姿をあらわにし・ガタガタになりながらも、安倍政権は、日本を〝アメリカとともに戦争をする国〟へとつくりかえてゆくために、「交戦権」も「非常大権」も明記されていない現行憲法を破棄せんとしているのだ。

日米安保条約の改定から六十年の節目にあたるこんにち、日米両権力者は日米同盟の強化をあらためて謳いあげる場をもとうとしている。今月中旬、防衛相・河野太郎と外相・茂木敏充が相次いで訪米し、国防長官エスパー、国務長官ポンペオとそれぞれ会談しようとしている。この会談において、日米両権力者は、「強固な日米同盟」などと謳いあげようとしているのだ。

安倍政権は、中東派兵・改憲の策動と同時的一体的に、トランプ政権とのあいだで対中露攻守同盟としての日米新軍事同盟を飛躍的に強化することに血道をあげている。まさにそれは、現下の東アジア情勢の激変をその背景としているのだ。

在日米軍基地に向けて中距離ミサイルや極超音速ミサイルの配備をすすめている中国やロシア、「核保有国」になった北朝鮮。これら中国・ロシア・北朝鮮にたいして共同して軍事的に対抗してきた米・日・韓三ヵ国のあいだに政治的亀裂が走りそれはいよいよ深まっている。とりわけ、「徴用工」問題にたいして居直りつづけ対韓国経済制裁を発動するという国家エゴイズムをむきだしにした対応をとりつづけている安倍政権と、日本軍国主義による植民地支配の大罪を〝宗主国〟然として正当化する安倍政権への反発を抱いている韓国文政権とが対立しつづけているがゆえに、米日韓三角軍事同盟は危殆に瀕している。昨年十一月に韓国の文政権は、日韓GSOMIA（軍事情報包括保護協定）の失効直前に協定破棄を延期することを表明したとはいえ、米日韓三角軍事同盟から離脱する意志を捨てさってはいない。この政権は、中国・ロシアの協力のもとに北朝鮮との統一＝「ワンコリア」を実現し日本に対抗することを志向するということを、いまや明確に安保・外交政策の基調にしつつあるのだ。まさに大統領・文在寅が、戦後の米・日・韓の三国間の枠組みから離反し、相対的に北朝鮮・中国・ロシアとの関係強化へと傾動を強めていることが東アジアにおける地殻変動をもたらしているのだ。

こうした事態に直面しているがゆえに、トランプ政権は、日米新軍事同盟の鎖で締めあげた「属国」・日本にたいしてよりいっそうアメリカに隷従することを迫っている。このトランプ政権の要求に応えて、米軍への自衛隊の一体化やアメリカ製兵器の導入などをおしすすめているのが安倍政権にほかならない。

いわゆる「マルチドメイン・バトル構想」にのっとって陸・海・空に加えて宇宙・サイバー・電磁波をもふくめた「全領域」で日本国軍に米軍を補完することを、トランプ政権は安倍政権に要求している。とりわけ、いまトランプ政権が力を傾注している宇宙軍拡への日本の協力を強く迫っている。これに応えて安倍政権は、米宇宙軍と連携して衛星監視をおこなう「宇宙作戦隊」を二〇二〇年度に発足させようとしている。

すでに安倍政権は、二〇年度当初予算案で過去最大の五兆三〇〇〇億円を超える軍事費を計上している。これに加えて、一九年度の補正予算に盛りこんだ軍事費は約四三〇〇億円、そしてアメリカ製兵器の購入費のローン残高(二〇年度)は約五兆四〇〇〇億円以上にのぼる。こうした巨額の軍事費をつぎこんで、配備予定地とされた秋田・山口の住民の反対を押しきってのイージス・アショアの導入、F35などの大量購入、護衛艦「いずも」の空母化などをどしどしとおしすすめようとしているのだ。

辺野古への米海兵隊新基地建設をめぐって、安倍政権は、新たに工期十年以上、工事費一兆円という見積もりを提示した。大浦湾側において軟弱地盤が発見されたことによって、政府・防衛省は当初計画に比して工期は二倍以上、費用は三倍以上かかる新たな工事計画を策定せざるをえなくなった。この新たな計画を沖縄県当局に認めさせ、大浦湾側の工事に早期に着手することを企んでいるのだ。

こうして軍事費に湯水のごとく血税を注ぐ他方で、安倍政権は、社会保障を徹底して切り捨てようとしている。社会保障費の自然増分の一二〇〇億円もの削減、診療報酬の引き下げ、七十五歳以上の医療費窓口負担の一割から二割への引き上げ、これらを企んでいるのである。消費税の税率一〇パーセントへの引き上げによってすでに貧困のどん底に突き落とされている労働者・勤労人民から、さらにむしりとろうとしているのだ。

こうして安倍政権が大衆収奪の強化と社会保障削減によって労働者・人民を生活苦に突き落としているのは、トランプのアメリカの言うがままに、アメリカ製兵器の大量購入や在日米軍駐留費の負担増、日本国軍の米軍補完部隊としての強化をなしとげてゆくための財源を確保することに狂奔しているからなのだ。

Ⅲ 危機を深める既成反対運動とわが革命的左翼の闘い

安倍政権が中東派兵、改憲、安保強化の攻撃をふりおろしてきているこのときに、既成反対運動は極めて危機的な状況にある。

日共の不破＝志位指導部は、アメリカのイラン軍事攻撃に反対する運動にはほとんどとりくんでいない。ただもっぱら、トランプ政権に核合意に戻るように説得するとともにイランにも自制を求めよ、というように日本政府を尻押しし「九条を生かした平和外交」政策をとるべきことをお願いしているにすぎない。

さらには、日本へのアメリカの中距離核ミサイルの配備をはじめとする日米安保同盟の強化については、これに反対する運動の組織化を完全に放棄している。

彼ら代々木官僚は、立憲民主党、国民民主党などの他の野党と「政策上の不一致」があるとみなした問題については、いっさい大衆運動の課題としていないのだ。

安倍政権の改憲攻撃にたいしては、代々木官僚は、「改憲発議を許さないたたかいを全国で広げる」という方針を提起してはいる。だが、彼らは、改憲に反対する集会・デモを設定することさえもなく、ただもっぱら職場や地域などで改憲反対の署名集めに下部党員・活動家をかりたてているにすぎない。全国のキャンパスにわずかながらいる日共系の学生もまた、改憲反対の闘いを何ひとつとりくんでいない。

こうした日共中央の闘争放棄・闘争歪曲を弾劾しつつ、職場深部でたたかう労働者と連帯して、改憲阻止・安保粉砕・中東派兵阻止の闘いを創造しているのが全学連のたたかう学生たちにほかならない。

安倍政権が中東・オマーン湾などの海域に自衛隊を派遣する閣議決定をおこなおうとしていた昨年十二月二十七日、全学連のたたかう学生たちは、首相官邸にたいして、「閣議決定阻止！　中東派兵反対！　アメリカのイラン軍事攻撃反対！」の怒りの拳を叩きつけた。そして、1・25闘争にむけて、キャンパスからアメリカのイラン軍事攻撃阻止、憲法改悪阻止、アメリカの中距離ミサイルの日本配備反対の闘いを創造するために奮闘しているのだ。

Ⅳ　改憲阻止・反戦反安保闘争の爆発をかちとれ

A　「反安保」を放棄する日共中央を弾劾せよ

安倍自民党政権が、今通常国会で憲法審査会における改憲論議を強行しようとしていることにたいして、日共の不破＝志位指導部は、「安倍９条改憲の発議を許さない一点でのたたかいを全国で広げよう」という運動方針を一応は提起している。

しかし、代々木官僚は、安倍自民党をはじめとする改憲勢力が強行しようとしている憲法審査会の開催そのものにまったく反対しないのだ。立憲民主や国民民主などの他の野党と歩調を合わせることを優先して、みずからもまた憲法審査会にノコノコと参加しようとしている代々木官僚を断じて許してはならない。安倍自民党政権が、国会での改憲案の論議をすすめるためにこそ憲法審査会の審議をすすめようとしているときに、憲法審査会の開催にみずからもまた加担すること自体が、改憲策動に手を貸す犯罪いがいの何であるか！

代々木官僚がうちだしている憲法改悪反対の運動方針の内実は、「戦後日本の、『海外の戦争で一人も殺さない、殺されない』というあり方を根本から変え、日本を『米国と肩を並べて戦争のできる国』にする暴挙を、決して許してはならない」などというものである。代々木官僚は、「米国と肩を並べて戦争のできる国」にする暴挙を許さない、などと言いながら、改憲反対方針から日米軍事同盟に反対することを完全に蒸発させているのだ。

こんにちの彼らは、「安倍政治からの転換の三つの方向」（第八回中央委員会総会提出の第二十八回大会決議案）と称して、憲法問題にかんしては、「憲法にもとづき、立憲主義、民主主義、平和主義を回復する」とうちだした。だがしかし、それ自体が、もっぱら「立憲主義」「民主主義」を守ることが強調され、「平和主義」については一言抽象的に述べているものの、「九条改憲を阻止する」とさえ明記していないのである。

そればかりではない、「政策上の不一致点についてどう対応するか」などとみずから設問したうえで・代々木官僚は、そのコタエとして、「安全保障」にかんしては「政権としては安保法制強行以前の憲法解釈・法制度・条約上の取り決めで対応する」と強調しはじめた。自衛隊合憲・安保条約是認ばかりか、かつてはみずから「戦争法」と批判してきた「武力攻撃法」や「周辺事態法」をさえ容認するにいたったのである。まさに彼ら代々木官僚は、在日米軍基地の存続も「有事」の際の日米共同作戦の実施も、「野党連合政権」のとるべき安保＝軍事政策として是認するということを明言したのである。

代々木官僚のいうこの「三つの方向」なるものは、直接的には「野党連合政権」樹立にむけた「政策合意」としてうちだされている。とはいえ、それはたんに、「野党連合政権」が樹立された暁（未来）に・この政権がとるべき政策がプランとして提示されているというだけにとどまらず、場所的な現在における「安倍政治からの転換の方向」を示したものにほかならない。たとえ「九条改憲反対」を唱えているのだとしても、「安保法制」の成立以前に自民党政権および民主党政権が「武力攻撃法」や「周辺事態法」を盾にしてとってきた安保＝軍事政策はすべて〝合憲〟であった、と代々木官僚じしんが言っているに等しいのである。まさにそれは、憲法九条改悪に反対し、〈平和〉を希求する人々への日共指導部の公然たる裏切りにほかならないではないか！

自衛隊はもちろんのこと日米安保条約を容認し、さらには「武力攻撃法」や「周辺事態法」などを適用しての「対応」（＝アメリカと共同して日本が他国に戦争をやるということだ！）までをも積極的に認めておいて、憲法改悪の攻撃を打ち砕く力をいかにして創造するというのか。

いま安倍政権が憲法改悪に突き進んでいるのは、米—中・露が全面的に対決する現代世界のただなかで、「日本はもっと役割を拡大しろ」と迫るトランプ政権に応えて米日両軍一体での対中（露）軍事作戦を遂行することにとって、「戦争放棄・戦力不保持」を謳った第九条が桎梏であるとみなしているからにほかならない。トランプ政権が「日米安保の鎖」で「属国」日本の安倍政権を締めあげながら、日本国軍を米軍の補完部隊として全世界へと引きずり出そうとしているこのときに、そして安倍政権がこのトランプにつきしたがう道を選びとっているときに、これらの策動に真っ向から反対することを呼びかけもせずに、「九条改憲反対」などと唱えたとしてもまったくの空語でしかないではないか。

それればかりではない。代々木官僚は、安倍政権が憲法に緊急事態条項を創設しようとしていることにたいして、これに断固として反対することを後景におしやっている。首相に非常大権を与えるこの条項を、安倍政権は労働者・学生・人民の反戦の闘いを弾圧し人民を国家の戦争遂行政策に協力させるためにこそ新設しようとしているのだ。このことを暴きだし、「ファシズム反対」を掲げることを彼らは完全に投げ捨てているのだ。

「野党連合政権樹立」の幻夢にまどろみ、ひたすら立憲民主や国民民主などにすりよるために「反安保」も「反ファシズム」も投げ捨てた代々木官僚を、われわれは、満腔の怒りを込めて弾劾するのでなければならない。

B　アメリカのイラン軍事攻撃阻止！ 改憲・核安保同盟強化反対！

(1)　われわれは、アメリカ帝国主義によるイランへの軍事攻撃に反対する反戦闘争に、全国のキャンパスから決意もかたくただちに総決起するのでなければならない。日本全土から反戦の闘いをまきおこせ！

アメリカ大統領トランプその人の指令にもとづいて、米軍はイラン革命防衛隊司令官ソレイマニらを殺戮した。このアメリカにたいしてイラン権力者やその指導のもとにあるイラクをはじめとする各国のシーア派民兵組織は、いっせいに反撃にうってでるであろう。

いまやイラクにおいて、増派された米軍がムスリム人民の頭上にミサイルや銃弾を雨あられのごとく降り注ごうとしている。そして、イスラエルのネタニヤフ政権は、汚職まみれで政治生命の危機にたつおのれの〝起死回生〟をかけて対イラン軍事攻撃にうってでる機会を虎視眈々とうかがっている。まさにいま、中東全域で戦火が燃えあがろうとしているのである。

中東に戦争の火を放つトランプ政権を、満腔の怒りを込めて弾劾せよ！　アメリカ帝国主義のイラクのシーア派勢力への軍事攻撃弾劾！　イラン軍事攻撃を絶対に阻止せよ！　今こそ、中東の・全世界の人民は、わが革命的左翼とともに反戦の闘いに起ちあがれ！　われわれは、日本国軍の中東への派兵を絶対に阻止するのでなければならない。

国会・首相官邸に進撃（19年10・27労学統一行動）

日本国軍をイラン近海に引きずり出そうとしているアメリカ権力者の要請に応えて、安倍政権は護衛艦「たかなみ」やＰ３Ｃ哨戒機をホルムズ海峡に近接する海域にまで派遣しようとしている。米軍がイラン革命防衛隊司令官の殺害やシーア派民兵への攻撃を開始したこの局面で安倍政権が憲法をふみにじって派兵を強行することは、米軍の軍事行動への加担＝全面的な参戦以外のなにものでもないのだ。

われわれは、「アメリカのイラン軍事攻撃阻止！　日本の中東派兵阻止！」の闘いを、〈反安保〉の旗幟を鮮明にしてたたかうのでなければならない。

（２）　われわれは、安倍政権の憲法大改悪を絶対に阻止し粉砕するのでなければならない。

この画歴史的な攻撃を打ち砕くために、われわれは、職場深部から改憲反対の運動をつくりだすために奮闘しているたたかう労働者と連帯し、学生自治会・文化団体・サークルなどのあらゆる場において、改憲反対のうねりをまきおこすのでなければならない。もって、全国のキャンパスから改憲阻止の一大闘争をつくりだそう！

まもなく開会する通常国会において、安倍自民党は、野党をまきこんで憲法審査会を開催し、改憲案をめぐる論議を急ピッチでおしすすめようとしている。憲法審査会の開会を絶対に許すな！ 自民党改憲案の国会提示阻止！

安倍自民党は、憲法審査会を動かすために、立憲民主・国民民主などが主張する国民投票法改定案の審議・採決を早期になしとげようとしている。改憲手続き法である国民投票法の改定にも、われわれは断固として反対するのでなければならない。

安倍自民党が国会に提示しようとしている改憲案の核心は、憲法第九条に「必要な自衛の措置」をとるための「実力組織」として「自衛隊を保持する」と明記することにある。安倍政権による憲法改悪こそは、米・中が激突する現代世界において、日本国家をアメリカとともに全世界で戦争をする国へとつくりかえるという一大攻撃なのである。まさにそのゆえにわれわれは、改憲阻止の闘いを反戦の闘いとして創造し・かつ＜日米新軍事同盟の強化反対＞の旗幟を鮮明にしてたたかうのでなければならない。

安倍政権がその創設を企む緊急事態条項は、「緊急事態」を宣言し労働者・人民の諸権利を剥奪して戦争に動員する権限を首相に与えるものにほかならない。まさにこの条項の創設は、日本型ネオ・ファシズム統治形態にふさわしい憲法の制定という重大な意味をもっている。われわれは、＜日本型ネオ・ファシズム支配体制の強化反対＞の旗を高く掲げてたたかうのでなければならない。

安倍政権は、かつて軍国主義・日本が植民地支配した朝鮮から数多の人民を連行し強制労働を強いたという過去を居直り、韓国への敵愾心を煽りたててさえいる。血塗られた日本軍国主義の植民地支配と侵略戦争を居直る安倍政権を、満腔の怒りを込めて弾劾する！ 「反韓国」の民族排外主義を煽りたてる安倍政権を断じて許すな！

（3）われわれは、アメリカによる中距離核ミサイルの日本配備を絶対に阻止するのでなければならない。

トランプ政権は、沖縄をはじめとする日本全土に、中距離核ミサイルを大量に配備しようとしている。ここ日本列島を、中国・ロシアにたいする核ミサイルの前線基地とするこの攻撃を、われわれは絶対に打ち砕くのでなければならない。核ミサイルを搭載した米原子力潜水艦の日本への寄港を許すな！

日本を核ミサイルの前線基地としてうち固めるというこの重大な攻撃をまえにして、日共中央は一言たりとも反対を表明してはいない。いやそもそも、この問題について、『しんぶん赤旗』紙上で触れることさえしていない。アメリカの核ミサイル配備の策動にたいする反対闘争の組織化を完全に放棄し沈黙を決めこむことは実に重大な犯罪ではないか。この日共中央の闘争放棄を怒りを込めて弾劾せよ！

米日の権力者による日本への中距離核ミサイルの配備の策動は、日米核軍事同盟の反人民性を満天下に示しているではないか。われわれは今こそ、＜日米核安保粉砕＞の旗を高々と掲げるのでなければならない。

われわれは、安倍政権による辺野古への米海兵隊新基地建設に反対するのでなければならない。埋め立て工事の強行を阻止せよ！　この辺野古基地建設の攻撃は、沖縄を対中国の最前線基地として強化する攻撃にほかならない。われわれは、辺野古基地建設反対の闘いを、「日米新軍事同盟の強化反対」の旗のもとにたたかうのでなければならない。

トランプ政権のいうがままにアメリカ製兵器の大量購入に突き進む安倍政権を弾劾せよ！　在日米軍駐留経費の大幅増額反対！　日本国軍を米軍の補完部隊として強化するための軍事費の増額反対！

いまトランプ政権は、同盟国との関係を、主—従関係と同様のものとみなし、同盟国を隷従化させようとしている。自衛隊を陸・海・空のみならず宇宙などのすべての領域にわたって米軍に一体化させ米日統合軍の一翼を担う部隊として全世界の戦闘地域に駆りだそうとしているのが軍国主義帝国アメリカなのだ。さらには「地域の安全保障のためにいてほしければ金を払え」とばかりに在日米軍駐留経費の日本側負担分の増額（現行の四・五倍である八七〇〇億円へ）をおしつけようとしているのである。

まさに「日米安保の鎖」を断ち切らないかぎり、日本はトランプのアメリカと心中する道を進み、労働者・人民はトランプ政権に血税を献上することを安倍政権によって強いられてゆくことになるのだ。われわれは今こそ、〈日米安保条約破棄〉をめざしてたたかおうではないか。

トランプ政権が中距離核ミサイルのアジア大量配備に踏みだそうとしていることに対抗して、中国の権力者は、多弾頭ミサイルや極超音速ミサイルの開発・配備を加速させている。また、プーチンのロシアも、ＭＤシステムをかいくぐることのできる中距離核ミサイルの実戦配備に踏みきった。こうした中国・ロシアの対米対抗の核軍事力の増強に、われわれは断固として反対するのでなければならない。

中距離核ミサイルや「使える核兵器」、宇宙兵器、ＡＩ(人工知能)兵器の開発・配備……。これらをめぐって、米—中・露の権力者が大軍拡競争をくりひろげている。これにたいして、われわれは、〈米—中・露の核戦力強化競争反対〉のスローガンのもと、反戦闘争を断固として推進するのでなければならない。

（4）中国・習近平政権による香港人民への武力弾圧を弾劾せよ！

「五大要求」を掲げて不屈にたたかう香港人民にたいして、北京ネオ・スターリニスト官僚政府は、香港政府・香港警察を突き動かして、数多の学生・労働者を逮捕・長期投獄している。獄中では学生や労働者に拷問を加えて「思想転向」を強要している。

アメリカとの全面的な激突に突入している中国の習近平政権は、香港人民の闘いを「外部勢力」（＝アメリカ）の策略によるものとみなし、徹底的に圧殺しているのだ。むきだしになっているのは、ネオ・スターリニスト官僚の残忍さ以外のなにものでもない。

中共ネオ・スターリニストの暴虐を怒りを込めて弾劾せよ！　日本の、そして全世界の労働者・学生は、たたかう香港人民と連帯し、北京官僚政府を弾劾する闘いに起て！

首相・安倍その人が主催して「桜を見る会」に自民党支持者を集めて公費を使って歓待をくりかえし、そのことが暴露されるやいなや、安倍の犯罪をもみけすために、ＮＳＣ（国家安全保障会議）が官僚諸機構を総動員して証拠隠滅をはかる――「桜を見る会」をめぐる安倍のこのような犯罪こそは、ＮＳＣ専制体制を築いてきた安倍政権の傲岸ぶりを示してあまりあるではないか。そして、自民党と日本維新の会の議員が絡んだＩＲ疑獄こそは、自民・維新らの改憲勢力の輩が、同時に安倍政権の目玉政策であるＩＲをめぐる黒い利権に群がってきたことを満天下にあらわにしたのだ。

「桜を見る会」問題やＩＲ疑獄に怒れる人民を、そして改憲をはじめとする安倍政権の反動諸政策に反対するすべての人民を広範に組織し、〈反安倍政権〉の闘いを創造せよ！　改憲・中東派兵・安保強化に突き進む安倍政権を打倒せよ！

（二〇二〇年一月五日）

「一超」の座を失った軍国主義帝国の最後のあがき

夏羽成臣

〔左〕アメリカの新型中距離弾道ミサイルの発射実験（19年12月）
〔右〕米中首脳会談（19年 6 月29日、大阪）

いまアメリカでは本二〇二〇年十一月の本選にむけた事実上の大統領選挙が激しさを増している。

大統領トランプは、昨年末に民主党がしかけた議会（下院）での弾劾訴追に直面した。みずからの政敵である民主党バイデンを追い落とすために、ウクライナのゼレンスキー政権にバイデンとその息子の捜査を要求し、それに応じなければ軍事支援と首脳会談はおこなわないというディール（取引）をもちかけたという「ウクライナ疑惑」。これをめぐって、野党民主党は大統領の「権力の乱用」と議会による捜査を妨害した「議会にたいする妨害」の罪でトランプにたいする弾劾訴追を開始した。

史上三人目となる「弾劾訴追された大統領」という恥ずべき〝称号〟を与えられたトランプは、大統領選挙に勝ちぬくために、バイデンに続くウォーレンやサンダースなどの「民主党左派」の候補たちにたいして「アメリカを社会主義にしようとしている」という非難の集中砲火を浴びせることに躍起となっているのだ。

トランプ政権が登場していこう、世界は、没落する軍国主義帝国アメリカと、「市場社会主義国」中国とが全世界的に激突しあう時代に突入した。ロシアとのあいだで事実上とり結ぶにいたっている条約なき反米同盟を基礎としてアメリカを追い抜こうとする中国。この挑戦をうち砕くために、トランプ政権は、核戦力の大増強と中国にたいする貿易＝通商戦争の強硬的貫徹に狂奔している。

スターリン主義ソ連邦の「世紀の崩落」の出発点となった「ベルリンの壁」崩壊—「東欧社会主義諸国」の連続的倒壊から三十年。すでにわれわれが十五年も前に予言したように、ソ連邦崩壊後に世界各国を隷従化せんとする野望に燃えた軍国主義帝国アメリカは、野蛮と専横をほしいままにすることによってみずから墓穴を掘り、歴史的に凋落したのである。

いまやこの没落帝国と、これを追いあげる中国とが政治・経済・軍事のあらゆる部面で激突し、世界は熱核戦争の危機と貧困と圧政、加速度的に進行する地球環境破壊によって覆われている。

アメリカ、日本、そして全世界の労働者階級・人民は、いまこそ、二十一世紀世界を覆う〈戦争と貧困と圧政〉をうち破るために、国境を越えて団結してたたかうのでなければならない。

極悪のトランプ政権のこれ以上の延命を断じて許してはならない。われわれは、いまこそ、アメリカの労働者階級・人民にたいして、〈反トランプ政権〉の闘いに起ちあがるべきことを呼びかけようではないか！

Ⅰ 中・露を圧服する核戦力の増強に狂奔するアメリカ帝国主義

A 中距離ミサイルの配備・宇宙軍拡

トランプ政権は、カリフォルニア州バンデンバーグ空軍基地で地上発射型の中距離弾道ミサイルの発射実験を強行した(昨年十二月十二日)。この「成功」に合わせて国防長官エスパーは、中距離ミサイルをヨーロッパ、アジアの諸国に配備するために同盟諸国との「緊密な協議」を始めることを明言した。この政権は、中国、ロシア、北朝鮮を標的とした中距離弾道ミサイルを東アジアに大量に配備するために、日本を筆頭にして、韓国、オーストラリアなどの同盟諸国権力者に配備を受けいれるように強硬に迫っているのだ。

こうした核兵器を搭載できる中距離弾道ミサイルのアジア(およびヨーロッパ)への大量配備、「使える核兵器」と称する小型核兵器の開発・配備をはじめとした核軍拡を空前の規模でおしすすめるとともに、宇宙空間(およびサイバー空間)における軍拡をおしすすめているのが、トランプ政権にほかならない(「宇宙軍」を陸軍、海軍、空軍などとならぶ六番目の軍種として創設することや総額八〇兆円におよぶ軍事費を投じることを盛りこんだ「国防権限法」が議会で承認され成立することになった)。

すでに二〇〇〇発ともいわれる中距離ミサイルを中国が実戦配備していることにくわえて、「第四の戦場」と呼ばれる宇宙空間における軍事システムの配備をめぐっても、アメリカは中国の急速なキャッチ・アップに直面している。「宇宙強国の建設」を旗印として、中国は、月の裏側に基地を建設するための月面探査の開始、「中国版GPS(衛星利用測位システム)」=「北斗」の世界的な運用、さらには宇宙ステーションの建設などにふみだしている。この中国は、ロシアとのあいだで実質上の反米同盟を構築したことにもとづいて、ロシアのミサイル迎撃システムであるS400の導入、さらには早期警戒システムの導入を手始めとして、ロシアと連携するかたちでミサイル迎撃システムの構築にも躍起となっているのである。

こうした中国・ロシアの軍事面におけるアメリカの核戦力への急速な追いあげに直面しているトランプ政権は、中・露を主敵とする世界戦略にもとづいて、空前の規模での核軍拡と日米新軍事同盟（対中国攻守同盟）を中軸として東アジアに対中国（・対ロシア）の軍事的包囲網を構築することに血眼となっているのだ。

トランプ政権は、なかでも日本帝国主義の安倍政権にたいして、アメリカの新型中距離ミサイルの配備、新たなミサイル防衛システムへの参加、「宇宙同盟」への参加、さらには巡航ミサイルの配備をはじめとした敵国を先制攻撃する最新兵器の導入をももとめている。

トランプ政権は、台湾の「独立」を志向する蔡英文政権にたいする政治的・軍事的の支援を強化している。「いかなる外部勢力の介入も許さない」「武力行使の選択肢も放棄しない」ことを宣言している習近平の中国にたいして、南シナ海だけではなく台湾海峡をも展開海域とした「航行の自由」作戦をくりかえし強行している。そして、台湾にたいして新型のアメリカ製兵器の供与もおこなっている。

朝鮮半島をめぐっては、トランプ政権の指令のもとに在韓米軍と在日米軍とが、ＩＣＢＭ（大陸間弾道ミサイル）の発射実験の準備を始めた北朝鮮にたいする警戒態勢を一挙に高めている。

北朝鮮の金正恩政権が「（二〇一九年）十二月中に重大決定をおこなう」と明言しながら、ＩＣＢＭ用ロケット・エンジンの燃焼実験などを相次いで強行している（金正恩政権は「戦略的核戦争抑止力のいっそうの強化のため」と言っている）。国連安全保障理事会で決められた経済制裁によって、一八年からロシア・中国で働く出稼ぎ労働者（総数一〇万人といわれる）の帰還が始まっている。経済制裁に追いつめられている金正恩の北朝鮮は、トランプから「制裁解除」をひきだすためにＩＣＢＭの発射にむけた実験をくりかえしているのだ（国連安保理では中国・ロシアが対北朝鮮制裁の「解除」をもとめる決議案の準備を始めた)。

この金正恩にたいしてトランプは「使いたくないが必要なら軍事力を使う」(昨年十二月三日)「敵意を示せばすべてを失う」(同八日)と米軍による北朝鮮にたいする軍事攻撃にうってでることのできる態勢をとりながら、ICBMの発射を断念するように強く迫っているのだ。

B 中国にたいする貿易=通商戦争

トランプ政権と中国の習近平政権とは、昨年十二月十三日、「米・中貿易交渉」において、中国側が「農産物の輸入拡大」「知的財産権の保護」「技術移転の強要の禁止」などの措置を受けいれることと引き換えに、アメリカ側が十五日実施予定の「第四弾」(二五〇〇億ドル分に二五%)の関税引き上げを見送り・すでに実施されてきた追加関税(一二〇〇億ドル分)の関税を引き下げ(一五%を七・五%に引き下げ)に応じるという内容での「第一段階の合意」をはかった。

アメリカ大統領トランプが、こうした「合意」をはかるように習近平に歩み寄ったのは、トランプが火をつけた米・中の関税引き上げ合戦によって、大豆などを栽培しているアメリカの農家や中国製の日用品を販売している小売業(関税分を価格に転嫁している)、さらには製造業が大きな打撃を受けているからにほかならない。生活必需品の価格高騰によって労働者・人民は生活苦に追いやられている。また、ウィスコンシン州など先の大統領選挙でトランプが逆転勝利した激戦州では、製造業で労働者の首切りが相次いでいる。そして、「ファームベルト」に属するアイオワなどの州でも農家からのトランプへの反発の声が噴きあがっている。こうした州での支持をとり戻すために、トランプは「五〇〇億ドル(五・五兆円)規模の農畜産物の輸入」を習近平に「約束させた」ことを「第一段階の合意」の最大の成果としておしだすことに躍起となっているのだ〔習近平政権は「輸入額は決まっていない」とただちに反論した〕。

アメリカ・中国の〝両者共倒れ〟の様相をあらわにしているがゆえに、トランプの側からの「第一段階の合意」に習近平も応じたことによって、双方は「第四弾」の関税引き上げの応酬にふみだすことをひとまず先送りすることで折りあったといえる。

だがしかし、トランプは中国のほうが打撃が大きいのでいずれ譲歩してくるであろうとみさだめている。しかも、政権内部に副大統領ペンスをはじめとする対中国強硬派を抱え、かつ民主党からの「中国への弱腰外交」という非難にもさらされているトランプはそれゆえに、「第二段階の合意」では習近平政権にたいして国有企業への「産業補助金の撤廃」などをとることを確約させると強調しているのだ。中国が5G（次世代高速通信システム）、AI（人工知能）、自動運転などの分野で「ハイテク技術覇権」を掌中にすることを阻止するためにこそ、「市場社会主義国」中国の「構造改革」の要求を突きつけるべきだとトランプに進言しているのが、ペンスらにほかならない。

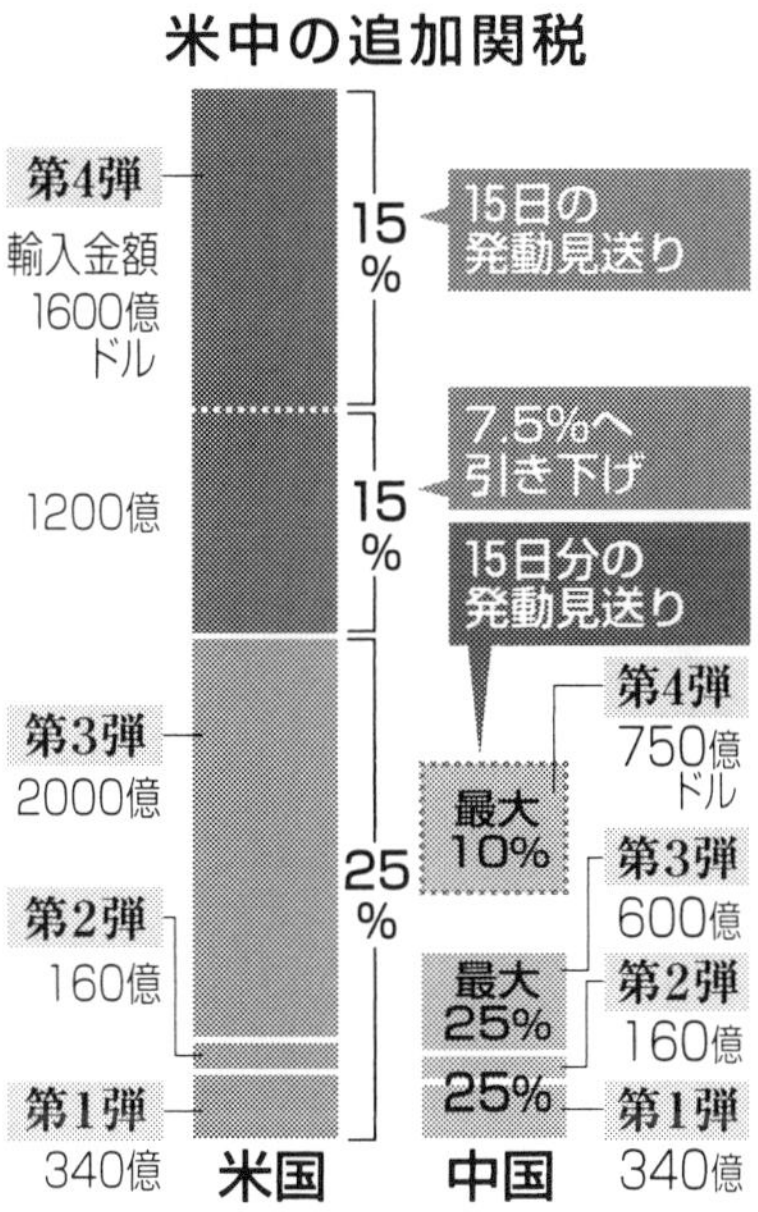

こうしたトランプ政権の要求にたいして、習近平の中国がこれに応じるなどということはありえない。習近平指導部は、このような「構造改革」要求は中国の「体制問題」の変革をもとめる「内政干渉」としてとらえ、これにたいしては「抗米」の「長征」でこたえることを決意しているのだからである。

対中国の安保・軍事政策にかんして主導権を握っているペンスなどは、中国による「一帯一路」の名による巨大経済圏の構築にたいして、「インフラ建設などで途上国を借金漬けにする債務外交だ」（ペンス）という非難を強めている。そして、「自由で開かれたインド太平洋戦略」という名の対中国戦略にもとづいて、南シナ海の軍事拠点化にふまえて西太平

米中の追加関税

洋へと手をのばす中国に対抗して、日本帝国主義の経済的・軍事的な力を動員しつつ、マーシャル諸島、ミクロネシア連邦、パラオなどとの政治的・軍事的・経済的の関係強化をおしすすめているのだ。

C　中東からの遁走

中東をめぐってトランプ政権は、ＩＳ（「イスラム国」）を掃討する軍事作戦に動員してきたクルド人勢力を見捨て、シリアからの米軍の撤退を強行した（昨年十月。トランプはアフガニスタンからも米軍を撤退させようとしている）。

米軍部隊撤退のこのタイミングで間髪を入れずに、エルドアンのトルコは、シリア北部からクルド人勢力を放逐するためにシリアへと軍隊をなだれこませてクルド人の殺りく戦に狂奔した。そしてこの機に乗じてアサド政府軍とともにシリア北部にロシア軍を進めたのがプーチン政権にほかならない。いまや米軍が駐屯していた基地にはロシア軍旗がはためいている。このロシアは、トルコ（ＮＡＴＯ加盟国）との政治的・軍事的・経済的の関係をいっそう強化している（ロシアはトルコにＳ４００を供与）。

こうした事態を選挙公約どおりに「終わりなき戦争からアメリカは抜けだした」などと喧伝しているのがトランプなのだ。トランプのアメリカは、クルド人勢力を利用するだけ利用したうえで、またしても使い捨てにしたのだ。「山のほかに友はなし」とクルドの民を怒らせたのが、アメリカ権力者なのである。

他方、アメリカの中洋における最大の仇敵であるシーア派国家イランにたいして、一八年の暮からトランプ政権は、原子力空母や戦略爆撃機をさし向け、さらに経済制裁を強化することによって「核開発の断念」＝完全屈服を迫るという強硬策を展開してきた。しかしそれは、アメリカの同盟国サウジアラビアの石油施設にたいするイランの電撃的な攻撃（一九年九月十四日）に直面して一敗地にまみれた。イランが敢行したドローンや巡航ミサイルを使っての的確無比なサウジ攻撃こそは、軍国主義帝国アメリカのイランにたいする敗北を、さらには半世紀におよぶアメリカ帝国主義による中東支配の歴史的な終焉を全世界に告知したのである。

現時点のトランプ政権は、イラン国家を経済的な破綻に追いこむことを狙って、経済制裁による〝経済封鎖〟を強化する策動に血道をあげている（イランは、ロシアからの融資、中国に輸出した原油の収入などによって経済危機をしのごうとしている）。これと合わせて、アメリカ主導で対イランの軍事的陣形を再構築する策動をもおしすすめているのだ。安倍の日本が派遣した日本国軍がペルシャ湾近くに到着したならば、アメリカはただちにこれを米海軍第五艦隊の指揮下に組みこむにちがいない。

アメリカ帝国主義による中東の軍事的支配の拠点となってきたイスラエルのシオニスト・ネタニヤフ政権も断崖絶壁にたたされている。汚職の罪で起訴されたネタニヤフは組閣に失敗し、イスラエルは三度目の総選挙を実施することになった。トランプは、〝刎頸（ふんけい）の友〟であるネタニヤフを政治的に援護するために、そしてまた国内のユダヤ教徒やキリスト教福音派からの支持をかためるために、イスラエルのパレスチナ自治区にたいする「入植活動は合法」と宣言した。「エルサレムの首都認定」や「ゴラン高原の帰属承認」に続くこの宣言によって、トランプ政権は、パレスチナ問題にかんしてはオバマ民主党政権が唱えたイスラエルとパレスチナの「二国家共存」構想を公然と投げ捨て、みずからの「イスラエル一国家」構想をむきだしにしたのだ。こうしたアメリカの中東政策の転換は、「シェール油田開発」によってアメリカが世界一の産油国となったこと、そのゆえに中東産石油に依存する必要がなくなったことを背景としているのである。

トランプに支援されたネタニヤフ政権は、選挙で勝利をもぎとるためにも、パレスチナ人民への新たな暴虐に、さらには不倶戴天の敵イランにたいする強硬策の貫徹にうってでるにちがいない。

D　同盟国の総離反と日本隷従化

トランプ政権は、NATO、米韓同盟、日米軍事同盟をはじめとする同盟諸国の権力者にたいして、軍事費の増額や米軍駐留経費の大増額という法外な要求をゴリ押ししている。このトランプのあまりの傲岸さゆえにNATO同盟諸国や韓国の権力者たちは猛反発し、アメリカからの総離反を開始している。

昨年十二月のNATO首脳会議（イギリスのロンドンにて開催）において、大統領トランプは、NATO加盟諸国（とりわけドイツ、フランス）にたいして「軍事費をGNP比で二%に増額せよ」という要求をあらためて突きつけた。独立国である諸国家に軍備増強をゴリ押しするトランプにたいして、フランス大統領マクロンが猛然と反発した。マクロンはNATO同盟諸国家になんの通告もすることなくシリアに越境攻撃したトルコとこれを黙認したアメリカにたいして「NATOは脳死状態だ」と突きつけた。こうしたマクロンの態度表明は、ロシアをも抱きこむかたちで「アメリカに頼らない欧州独自の安全保障体制を構築する」というみずからの意志にもとづくものであった。まさにこの首脳会談では、「中国への懸念」をロンドン宣言に盛りこんだとはいえ、NATOの空中分解と仏・独による「欧州独自軍の形成」へのよりいっそうの傾動があらわになったのだ。

東アジアにおいては、トランプ政権は、韓国の文在寅政権にたいして「日韓GSOMIA（軍事情報包括保護協定）を破棄することを許さない」と恫喝してきた。とりわけ、政権内の国防総省や国務省の閣僚どもは、「破棄するなら、トランプが『在韓米軍を撤退する』と言いだすぞ」と強烈に脅しつけた。そうすることによって文政権を屈服に追いこみ「破棄の一時凍結」を発表させた。こうして当面は「GSOMIAの失効」は先延ばしとなったのである。

だがしかし、中距離ミサイルの配備や米軍駐留経費の五倍増などの要求を突きつけてくるトランプにたいして、さらには徴用工問題で報復的な経済制裁を発動した首相・安倍晋三にたいして反発を強めているがゆえに、文在寅は、これまで以上に米日韓三角軍事同盟から離脱する志向を強めるにちがいない。「ワンコリアの実現で日本を追いぬく」という民族的な悲願を抱いている文政権は、北朝鮮との関係改善およびその後ろ盾である中国との協調関係の構築に舵を切る方向に安保・外交政策を定めているのだからである。

こうした同盟諸国からの総離反に直面しているアメリカのトランプ政権は、まさにそれゆえに、日米新軍事同盟の鎖で締めあげた唯一の「属国」日本にたいして、よりいっそうアメリカに隷従することを迫っているのだ。

トランプ政権は、安倍政権にたいして、「日本は裕福だからもっとアメリカを助けなければならない」(トランプ)などとほざきながら、米軍駐留経費の「四倍増」とか「五倍増」ともいわれる大増額を要求している(すでに総額三八八八億円の駐留経費を支出し、これに米軍再編費などを加えるならば、総額約八〇〇〇億円を払っている。これとは別にイージス・アショアやF35などの超高額兵器を購入する)。さらには核兵器を搭載できる中距離ミサイルの沖縄をはじめとする日本全土への配備、ペルシャ湾近接地域へ自衛隊を派遣し・米軍の指揮のもとに入ること、「宇宙同盟軍」への参加をもとめてもいるのだ。

こうしてトランプが「アメリカの負担」を減らすために同盟諸国の権力者にたいして軍事費増額と軍拡をおこなうことを強要することは、世界に戦乱の火を撒き散らすものにほかならないのだ。

II　アメリカの国家意志への隷従を強制する没落帝国

現代世界は、アメリカから「世界の覇者」の座を奪いとることをめざして対米挑戦を続けている「市場社会主義国」中国およびロシアと、軍国主義帝国アメリカとが政治・経済・軍事のあらゆる部面で世界的に激突する時代を迎えた。

軍国主義帝国アメリカのトランプ政権は、ロシアとの事実上の同盟にもとづいて核戦力にかんしても急速にキャッチアップしている中国にたいしては、これをいまのうちに叩きつぶすという国家意志にもとづいて核戦力の増強と対中国の貿易＝通商戦争の貫徹など国家をあげての闘争に血道をあげている。

同時にトランプ政権は、NATO、米韓同盟、日米軍事同盟など同盟関係を結んでいる諸国の権力者たちにたいして、「アメリカにたかるな。米軍にいて欲しければ金をだせ」などと軍事費増額や米軍駐留経費の増額を迫っている。

かつて第二次世界大戦後の帝国主義国家群とスターリニスト国家群との対抗のなかで「反共」の軍事体制を構築するためにNATOや日米軍事同盟が構築されたのであった（敗戦国の日本やドイツには広大な米軍基地がおかれた）。スターリン主義ソ連邦の崩壊の後にはアメリカによる世界制覇のために同盟諸国を組みふせアメリカの「属国」として対中国の政治的・軍事的包囲網を構築するために動員しようとしたのであった。だが、いまやトランプは、世界を支配していくためのビジョンも理念もなく、「対ロシア」「対中国」の軍事同盟であるというような政治的軍事的利害をも考慮の埒外に放擲し、すべての政策上の問題を〝損得勘定〟の問題＝貿易・通商取引上の「不公平」の問題と直結させている。

たとえ主権をもった独立国家であったとしても、同盟を「主―従」の支配―隷従関係のようにみなして〝主〟のようにふるまい、アメリカの国益（主として通商上の権益）をエゴイスティックに貫徹することを常態化しているのだ。いまだ世界第一位の核軍事力と金融支配（ドル支配）をバックとして、自称「人民民主主義共和国」であれ「イスラム共和国」であれ、アメリカに反逆する国家にたいしては、軍事的脅迫と経済制裁をくわえるというやり口を対外政策の基本としているのがトランプのアメリカなのだ。

アメリカの「偉大な復興」に奉仕し・アメリカの「国益」に隷従する国々だけを敵とみなさないということは、「アメリカ・ファースト」という名のアメリカ帝国中心主義にほかならない。こんにちのトランプ政権は、国家形態ないし統治形態のいかんをとわず、もろもろの独立国家にアメリカの国家意志を強引に押しつけ隷従することを迫るという隷従化戦略をとっているといえる。

こうしたアメリカの「国益」に奉仕するものではないという断定のもとに、これまでアメリカ国家が国家として結んできた条約や協定（地球温暖化防止のパリ協定、中東和平案、イラン核合意、ＴＰＰ＝環太平洋経済連携協定、中距離核戦力＝ＩＮＦ全廃条約など）を一方的に破棄したり離脱したり、ＷＴＯ（世界貿易機関）を機能マヒにたたきこむというような国家エゴイズムをむきだしにしているのもトランプ政権なのだ。

また、米原子力空母や戦略爆撃機を配置してイラン軍事攻撃の戦闘態勢を築いていたトランプ政権は、イランにたいする戦争の口実をつくりあげることを狙って、そしてまた日米新軍事同盟の鎖で締めあげた日本の安倍政権に日本国軍出撃の決断をうながすことをもたくらんで、かのタンカー砲撃謀略（昨一九年六月十三日）を仕組んだのであった。かつてのベトナム・トンキン湾謀略事件（一九六四年）のように、歴史の進路を侵略戦争へとねじ曲げるときには謀略をもってするのはアメリカ帝国主義権力者の常套手段なのであるが、トランプのアメリカもまた謀略帝国としての反人民的な本性を露出させたのである。

外にむけてはこうした謀略や政治的陰謀をも駆使しているトランプ政権は、内にむけては、政治支配体制をネオ・ファシズム的にいっそう強化している。大統領が先頭にたつかたちでツイッターなどのＳＮＳ（ソーシャル・ネットワーキング・サービス）を手段にして正真正銘のデマを常時大量に垂れ流し、たえずアメリカ国家の内と外に敵をつくりあげ、「アメリカを貶めようとしている敵」への被害者意識と敵愾心・攻撃心を労働者・人民のなかに喚起してゆくという手法をとっている。「アメリカは中国にだまされ、富を略奪されている」だの「不法移民がアメリカの労働者の職を奪い、凶悪犯罪を犯している」だのといった主張をくりかえし流布し、労働者・人民を国内外の「アメリカ国家の敵との戦い」に駆りたてているのだ。このような「戦い」に勝利することこそが「アメリカの再覚醒」の実現となるなどというトランプの主張こそは、まさしくトランプが〝二十一世紀のヒトラー〟にほかならないことを示してあまりあるではないか。

Ⅲ　帝国の没落とその歴史的意味

トランプは、オバマ以前の歴代政権のように「世界の警察官」の役割をはたすことも・世界に「自由と民主主義」をおしひろげる旗振り役となることも全面的に否定している。中東のシリアからもアフガニスタンからも米軍を撤退させることをあいついで決定し、アメリカの国境に築いた〈壁〉のなかに引きこもるかのような対応をとっているのは、右のことを象徴する事態なのだ。

あまりに国家エゴイズムをむきだしにしているがゆえに、世界中から完全に孤立し侮蔑の眼をむけられながらも、世界各国をアメリカの国家意志に隷従させ「偉大な復興」を実現することができると思いこんでいるのが、稀代の阿呆トランプにほかならない。

このアメリカから「世界の覇権」を最後的に奪おうとする「市場社会主義国」中国（およびロシア）は、――経済が破局寸前となっているがゆえにあえぎながら――、「一帯一路」という名の巨大経済圏をユーラシアのみならず、アフリカ、南米におしひろげる策動に血道をあげている。そして、アメリカの「スーパーパワー」の源泉である核戦力にキャッチアップすることをめざして「世界一流の軍隊」の建設を遮二無二おしすすめているのだ。

習近平の中国との「倒すか倒されるかの死闘」をくりひろげているトランプのアメリカは、「われわれは中国やロシアに勝てないかもしれない」などという惨めったらしい泣き言を垂れるほどまでに追いつめられている。核戦力の増強と対中国の通商＝貿易戦争を血眼となっておしすすめているトランプ政権の狂態は、まさに軍国主義帝国アメリカの断末魔であり、最期のあがきにほかならない。

「東西冷戦」の象徴であった「ベルリンの壁」の崩壊（一九八九年）―「東欧社会主義国」の連続的倒壊（一九九〇年）からちょうど三十年を迎えたこんにち、かつては「世界独覇」の野望を抱いたことさえあるこの軍国主義帝国アメリカの歴史的凋落がまざまざと示されているのだ。

ソ連邦の崩壊によって「一超」の地位を手にしたアメリカ帝国は、一九九〇年代から二〇〇〇年代の初頭にかけて、「自由と民主主義と市場経済」の旗をうちふるいながら世界の政治的・軍事的支配と市場経済の全球化のために野蛮と傲岸のかぎりをつくした。アメリカは、NATO諸国を率いてのユーゴ空爆（一九九九年）を、そしてムスリム戦士が敢行した「9・11ジハード自爆攻撃」にたいする「報復」の名においてアフガニスタン空爆（二〇〇一年）を強行した。さらに「大量破壊兵器を隠し持っている」などという真っ赤な嘘を吹聴して、かの悪名高い先制攻撃戦略にもとづいてイラクへの侵略戦争を強行したのであった（二〇〇三年）。

だがしかし、みずからの国家テロルによってユーゴスラビアで、アフガニスタンで、そしてイラクで数多の人民を血の海に沈め、あまつさえ石油の強奪をも狙ってイラクを軍事的植民地たらしめようとした帝国の野望は、イラクをはじめとしたムスリム人民の国境を越えた反米レジスタンスによってうち砕かれた。ベトナム戦争につづいてイラク侵略戦争でも惨めな敗北を喫することによって、「一超」帝国は墓穴を掘り、国際的な威信の低下と経済的危機に見舞われ、没落の急坂を転げ落ちてゆくことになった。

このアフガニスタン・イラクへの侵略戦争の強行

とアメリカの敗退は、経済新興諸国との関係を深めBRICSを主導するにいたった中国の台頭をも呼び起こすことになった（二〇〇四年APEC〔アジア太平洋経済協力会議〕サンチャゴ会議）。これを区切りとして二十一世紀世界は、「米中対決の時代」へと転回していったのである。

それから約十五年がたったいま、米―中・露の世界的な激突によって切迫する熱核戦争と世界経済破局の危機、世界各地で噴きあがる戦火、階級間格差の一挙的拡大と圧政者の跋扈、地球環境破壊の加速度的な進行によって猛威をふるう異常気象などが二十一世紀世界を覆っている。

現代世界史の結節点的転換をなすのは、一九九一年にゴルバチョフらアンチ革命者によってもたらされたスターリン主義ソ連邦の崩壊である。そして一九九九年から二〇〇三年にまきおこった三つの戦争は、「暗黒の二十一世紀」への過渡期をなすといえる。

政治経済的観点からとらえかえすならば、ソ連邦の崩壊後に現出した「一超」による一極支配のもとで、アメリカ帝国主義による金融支配は全世界を覆いつくし、アメリカ独占資本＝多国籍企業もまた、安価な労働力をもとめて中国をはじめとして全世界にボーダレスに展開したのであった。生産拠点を中国などの国外に移した製造業諸資本は、国内では、生産拠点を統廃合して既存の労働者たちを解雇し・最低賃金以下で雇った移民労働者たちに置きかえてきた。白人労働者の多くが路頭に投げだされたのは、まさにこのゆえなのだ。

そして金融面では、〝緩和マネー〟＝ドルの世界中への垂れ流しとアメリカ系金融諸機関による金融錬金術によって中国をはじめとする海外から投資を呼びこみ・そうすることによってアメリカへの資金・資本の還流構造をつくりだしてきた。まさにその矛盾がリーマン・ショックによって爆発したのであったが、これと酷似した事態がいまうみだされている。現在の住宅ローン残高は過去最高の九兆四四〇〇億ドル（一〇一九兆円）にものぼりCLO（ローン債務証券）もまた膨張しているのであって、それらはリーマン・ショックの直前をも上回る規模となっているのである。こうしたもとで労働者から強搾取して天文学的な額の富を手にしたほんのひと握りの（人口比で一％）のブルジョアなどがますます肥え太り、数多の人々をだまして数千億円の富を手に入れた不動産王トランプのような腐敗した輩もまたうみだされているのである。

　にもかかわらず、こうしたことにはほおかむりして、盗人猛々しくもトランプは「アメリカの対中国貿易赤字が多いのは、中国がアメリカをだまして富を盗みとっているということだ」などというような究極の結果解釈をおこなったうえで、中国からの輸入品に高関税をかけるという通商＝貿易上の強硬策を貫徹している。

　だがしかし、この関税引き上げ策は「貿易不均衡の是正」という〝到達目標〟に一挙的に接近するというトランプのオツムの欠陥にもとづくものであって、その観念性は、中国による「技術覇権」を手に入れるための策動をストップすることもできず・むしろアメリカの諸産業に深刻なダメージを与えるものとなっているという事実をもって明らかになっているではないか。

　このような三歳児的なわがままにもとづくアメリカの通商政策を押し通すために、「自由貿易」の推進と諸国家間の「貿易問題」の解決を理念とするW

TOという国際的な貿易機関を機能マヒに追いこんでさえいるのだ。かつては「グローバリゼーション」という名のもとにアメリカン・スタンダードを全世界に貫徹することによって市場経済の全球化をなしとげようとしたアメリカ帝国は、トランプ政権のもとで、いまや自国の国益を護持するために「国際的な自由貿易」の破壊者としてふるまうにいたった。このこともまた、軍国主義帝国の最末期の断末魔にほかならないのだ。

暗黒の世紀を覆す闘いを！

いまから三十年前の「東欧社会主義諸国」の倒壊とそれに続くスターリン主義ソ連邦の崩壊に直面したアメリカ帝国主義の政府・独占ブルジョアどもは、二十世紀をば「暗黒の世紀」とみなし・二十一世紀こそは「自由と民主主義と市場経済」を謳歌するバラ色の世紀などととらえる歴史観を流布したのであった。

「共産主義にたいする資本主義の勝利」などと謳いあげたのは、かつてのアメリカ帝国主義権力者じしんであったけれども、〝普遍妥当性をもったイデオロギー〟であるとみなし・疑似宗教化さえした「自由」とか「人権」とかのブルジョア・イデオロギーそれ自身が、もはや完全に色褪せてしまっている。

今ヒトラーたるトランプは、アメリカ国内で、南米・中東・アフリカから逃れてきた移民や難民を手当たり次第に逮捕し収容所にブチこみ、白人に黒人やヒスパニックなどにたいする敵愾心を煽り・彼らにたいする襲撃をもくりかえしている白人至上主義集団を讃美してやまない。もとより、イラクでアフガニスタンでシリアで国家テロルによって数多のムスリム人民の「人権」をふみにじり虫けらのように命を奪いさってきたのがアメリカ国家なのであって、彼らの語る「自由」とか「人権」とかは野蛮と専横の別名でしかないことは誰の目にも明らかとなっているのだ。

まさにアメリカを筆頭とする帝国主義権力者どもが「自由と民主主義と市場経済」の旗のもとに労働

者階級を十九世紀的な貧困と強権的な支配のもとに突き落とし、「市場社会主義」のもとで中国ネオ・スターリニストどもが勤労人民を貧困と失業へと追いやり・香港の人民への凶暴な弾圧をふりおろしているのが、二十一世紀のいまなのだ。権力者が戦争と貧困と圧政、地球環境破壊など野蛮と暴虐のかぎりをつくしているこの二十一世紀こそが「暗黒の世紀」であることをわれわれは喝破しなくてはならない。

経済的破綻の危機に怯えている各国の政府・権力者どもは、内にむかっては労働者・人民に苛烈な犠牲転嫁を強い、外にむけては「自国ファースト」の国家エゴイズムを貫徹しあっている。こうした権力者どもにたいして、チリ、アルゼンチンをはじめとする南米の諸国で、フランスなどのヨーロッパの諸国で、そして中東の諸国などの全世界で反政府闘争の炎が燃えあがっている。アメリカ国内でも、低賃金に苦しみ高額の奨学金返済義務を背負っている若者の多くが「社会主義」に関心を寄せている。だがしかし、スターリン主義の反労働者性への自覚が欠如しているがゆえに、彼らはみずからの闘いの方途を見いだせずにいるのだ。

われわれは、アメリカの労働者・学生に、そして全世界の労働者・学生に呼びかける。いまこそ、アメリカで、そして全世界でプロレタリア階級闘争の蘇生をかちとり、スターリン主義ソ連邦の消滅によって革命ロシアが最後的に埋葬された、かの「世紀の逆転」を・われわれの手で「再逆転」し、二十一世紀を「プロレタリア革命の世紀」としてきりひらくためにたたかうのでなければならない。まさにそのために、全世界の労働者階級・人民が、現在的に〈血塗られたスターリン主義〉と対決し・その反マルクス主義的な本質に目覚め、もって反スターリニズムの闘いにともに起ちあがるべきことを、われわれは日本の地から呼びかける。

アメリカの、そして万国の労働者・人民はいまこそ団結し、世界を覆う〈暗黒〉を突き破りみずからの輝ける〈未来〉をきりひらくために、わが革共同・革マル派とともに起て！　その闘いの旗は〈反帝・反スターリニズム〉である。

ともにたたかおう！

習近平政権の香港人民への武力弾圧弾劾

「第二の天安門事件」弾劾！

中国の習近平を頭目とするネオ・スターリニスト官僚政府は、「五大要求の完全実現」をもとめてたたかいつづけている香港人民を暴力的に圧殺するために、香港政府・警察をつき動かして狂気の弾圧を開始した。二〇一九年十一月中旬、香港警察は、たたかう学生たちが占拠した香港中文大学、理工大学のキャンパスに、大学の周囲を重武装の警察部隊で完全に包囲したうえで、タンク部隊を銃撃部隊とともに突入させた。火炎瓶などで反撃した学生部隊にたいして、実弾を装塡した銃を突きつけながら、数千発の催涙弾、鉛粒を布袋につつんだビーンバッグ弾を学生たちに徹底的に撃ちこみ攻撃を続けた（体に傷を残さないかたちで学生たちを殺傷する音波銃という兵器をも投入した）。攻撃から逃れるためにキャンパスから脱出をこころみた数千人の学生たちを大量に逮捕・拘束し、獄中にブチこんでいる（獄中では学生・人民への拷問がおこなわれている）。

中国共産党最高指導者たる習近平の直接的な指揮のもとに強行された大学キャンパスへの武装部隊の突入こそは、香港における結節点的な事態にほかならない。この弾圧は、――ソビエトを結成してたたかったハンガリー労働者の闘いとこんにちの香港人民の闘いとはその質を異にするとはいえ――ハンガリー革命（一九五六年）におけるソ連軍の＜11・4第二次介入＞＝人民の闘いの暴力的圧殺の〝再現〟という意味をもっている。

全学連が中国大使館に抗議闘争（2019年11月16日、東京）

　習近平は国家主席たるの資格において、デモに起ちあがった学生・人民にたいして「暴徒」（＝「反革命」）と烙印し、「暴力と混乱の制止、秩序の回復が差し迫った任務だ」と香港政府に武力弾圧を命じた。香港に駐留する「人民解放軍」の部隊が瓦礫の撤去作業に動員され・その姿が中国系マスコミによって大々的に報道されたのであったが、まさにそれはスターリニスト正規軍をも動員して香港人民の闘いを武力で「暴圧」する北京官僚の意志の表れなのだ。

　いまわれわれが眼前にしているのは、まさに形をかえた「第二の天安門」にほかならない（一九八九年六月四日の天安門広場での血の弾圧の再現）。むきだしとなっているのは、スターリニズムの反人民的な本性であり、スターリン主義の権力の残忍さなのだ。それは同時に、漢民族によるこれに逆らうものへの苛烈な民族的抑圧という性格をも露わにしているのだ（ウイグル族にたいする狂気にみちた弾圧をも見よ！　一〇〇万人といわれるウイグル族人民を北京官僚どもは強制収容所に入れている）。

　この重大な局面において、われわれは、香港の労働者・学生に呼びかける。

中国政府・香港政府が開始した武力弾圧を弾劾し、労働者階級は、すべての職場生産点からゼネラル・ストライキを打て！　ゼネストに決起し、ネオ・スターリニスト権力による人民にたいする血の弾圧を絶対にうち砕け！　キャンパスに「ＳＯＳ」と大書きし血を流しながらたたかっている学生を支援する闘いに香港全土で今こそ起ちあがれ！

「香港の自治」の剥奪にうってでた北京官僚を許すな

北京官僚どもは、香港の学生・労働者の闘いを、『「一国二制度」原則の譲れぬ一線への重大な挑戦」（一九年十一月十四日ＢＲＩＣＳ首脳会議に出席した際の習近平の発言）と断じ、「香港全体の利益の破壊者」などと描きだしている。みずからは学生たちにたいする武力弾圧を強行しながら、「武闘の激化」を口実として、「一国二制度」のもとで保障するとしてきた香港の「高度な自治」なるものを完全になきものとし、香港人民を北京官僚政府直轄の強権的支配のもとに一挙に組み敷くことをたくらんでいるのがネオ・スターリニスト官僚どもなのだ。中国共産党の四中全会（中央委員会第四回全体会議、十月三十一日閉幕）の「決定」において、「愛国者を主体とする香港統治を堅持する」「中央が特別行政区にたいし全面的管轄統治権を行使する」などと明記したのは、北京官僚の悪辣な意志の表明にほかならない。

十一月二十四日の区議会選挙で「民主派」が八割以上の議席を制した選挙結果にたいしても、習近平政権はこれを傲然と無視して、さらなる弾圧にむけて香港警察の人員の増強をはかっているのだ。

まさしくそれゆえに、銃火器を使った警察権力の弾圧攻撃にたいして・これをうち砕く「武闘」をエスカレートさせることのみをもってしては、政治的狡猾さと凶暴さをむきだしにしている北京ネオ・スターリニスト官僚政府による総攻撃をうち砕くことはできないのだ。中国官僚政府の専制支配をはねのける〈香港の自治〉の拡大をめざして、香港の労働者・学生・人民は、公務労働者・教育労働者を先頭にしてゼネストを組織し拡大せよ！

香港の労働者・学生に呼びかける

反スターリニズム革命的左翼は、香港の労働者・人民に呼びかける。

諸君らに凶暴な武力弾圧を開始した敵の本質は、「社会主義」の名において官僚的な特権をむさぼり、「人民民主主義独裁」という名のもとに一四億人もの労働者・人民を専制支配しているネオ・スターリン主義官僚にほかならない。今こそ、「中国型社会主義」＝「市場社会主義」の反プロレタリア的・反マルクス主義的本質を自覚し、みずからが真にめざすべきものは何かを自覚せよ！

香港のたたかう人民は、いわゆる「社会主義圏」における革命、数々の闘いについてのさまざまの敗北の教訓に学べ。全土で労働者・農民・学生がソビエトをみずから創造しながらもソ連軍のタンクに踏みつぶされた「ハンガリー革命の血の教訓」（黒田寛一）に、大ストライキ闘争を打ち抜きながらも〈スターリン主義軍による反革命〉によってつぶされたポーランド〈連帯〉の悲劇、そして、三十年前のチャイナ・スターリン主義の軍隊による血の弾圧によって壊滅させられた天安門のあの敗北からつかみとられた諸教訓に、今こそ諸君は学べ。

「ソ連圏における第二革命の問題は権力の問題であるだけではなく同時に組織問題なのであって、虚偽の前衛党としてのスターリン主義党を革命的に解体することを通じて真の労働者党を創造することが革命に勝利する実体的根拠なのである。この組織的闘いにささえられ、この組織的闘いを通じてのみ、統一ソビエトは現存スターリン主義国家を打倒して、みずからを労働者国家そのものたらしめることが可能となる」（黒田寛一「決起したポーランド労働者」『ソ連圏革命論ノート』こぶし書房刊、二三九頁）。

すべての香港の労働者階級・学生・人民は、今こそ、非公然の組織（地下党）をつくる闘いを開始せよ！　スターリニズムの本質を自覚した共産主義者からなる真実の前衛党を建設する困難な闘いに着手せよ！　まさにそれこそが、北京官僚政府の専制支配をうち破り・香港人民の＜未来＞をきりひらくただ一つの道なのだ。

中国本土の労働者・人民は、たたかう香港人民と連帯して、習近平政権による弾圧反対の闘いに起て！「第二の天安門事件」を断じて許してはならない。ネオ・スターリニスト官僚政府の打倒をめざして闘いに起ちあがれ！

わが反スタ左翼は、世界でただひとり日本の地において、習近平政権による武力弾圧に反対する闘争を断固として創造している。たたかう香港人民と連帯して、日本全学連は、二波にわたって中国大使館にたいする怒りの弾劾闘争に起ちあがった。全国のキャンパスで、そして街頭で、北京官僚政府を弾劾する闘いに起ちあがることを学生・労働者に呼びかけつつたたかっている。

全世界各国の労働者・人民は、わが日本革命的左翼とともに、習近平政権によるたたかう香港人民にたいする武力弾圧を弾劾する闘いにともに起て！「二十一世紀の天安門事件」を断じて許すな！　たたかう人民と連帯し、北京官僚を弾劾する闘いを創造することを放棄している自国のネオ・スターリニスト党の指導部を弾劾し、ただちに闘いに起て！

今こそ、日本の労働者階級・人民は、たたかう香港人民と連帯して、全国から起ちあがれ！　＜反帝・反スターリン主義＞の旗のもとにわが革命的左翼とともに決起せよ！

（二〇一九年十一月二十五日）

〔追記〕二十四日の区議会選挙で「民主派」が八五％の議席を獲得し圧勝した（四五二議席のうち三八五議席を獲得）。これは「デモは外国勢力におどらされたものだ」などと強弁してきた政府に大打撃を与えた。だが警戒せよ。彼らは、指導部を逮捕し長期投獄するなどの手にでるだろう。今こそ、香港人民は、組織（地下党）を創造する闘いに着手せよ。

（十一月二十六日）

中国「建国七十年」式典
「世界の覇権」奪取を宣言

青島路子

北京の天安門広場で大々的に催された中国建国七十年を記念する式典（二〇一九年十月一日）。毛沢東をまねて人民服で身を固め、広場を見おろす城楼に立った習近平は声をはりあげて言った――「社会主義の中国は世界の東方にそびえ立ち、いかなる勢力もわれわれの偉大な祖国の地位を揺るがすことはできない」と。落日の軍国主義帝国アメリカから「世界の覇者」の座を必ずや奪取するという意志を、習近平はここに公々然と宣言したのだ。

中国が経済的・政治的・軍事的にアメリカを凌駕するのを絶対に阻止せんと血眼になって反撃をしかけてくるアメリカ帝国主義権力者。この没落帝国主義との全面対決に、中国ネオ・スターリン主義官僚は踏みだしている。「二十一世紀世界の覇権」をかけてのアメリカとの激闘にそなえて習近平政権は、彼らにとっての〝内憂〟を除去すべく、香港人民やウイグルやチベットの人民の闘いを圧殺することに狂奔している。中国共産党を名のるネオ・スターリニスト党が率いる人民解放軍や武装警察という名の常備軍と公安警察などの治安機関の力をもって香港をはじめとする様ざまな人民の反抗や抗議を強権的に押さえこむ意志を、彼ら官僚指導部はうち固めている。こうした習近平政権の対外・対内強硬姿勢を象徴したものが、一万五〇〇〇人の将兵を動員し延々八十分間つづいた大軍事パレードであった。

これにつづく「民衆パレード」なるものでは、人民中国を建国した毛沢東から——その後の「社会主義」建設や文化大革命の時期はぬきにして——一足飛びに「改革開放」以降の鄧小平・江沢民・胡錦濤そして習近平の巨大肖像画を並べる「七十年史」、そしてウイグルやチベットや香港などをふくめ各地方や各民族の飾りたてた山車などが列をなしてつづく。党中央の指導のもとでの諸地方・諸民族の「団結」「友好」「共栄」をさもさもらしく演出するためにおこなわれたのが、このパレードであった。

これらパレードに先だつ式典冒頭の演説において習近平は、彼らの国家戦略を簡潔に、だが明瞭に謳いあげた。すなわち、「党の指導を堅持し」「中国の特色ある社会主義の道を堅持」し、『二つの百年』(註)の奮闘目標」を実現し「祖国の完全統一」を達成する、と。あくまでこれは「平和的発展の道」であり「人類運命共同体構築推進」である、と少々粉飾がこらされていたのではあったが。

アメリカへの軍事的対抗——最先端兵器を誇示

没落帝国主義アメリカが唯一のよすがにしている軍事的優位に真っ向から挑戦する姿勢をトランプ政権につきつけた——これが、国慶節行事の中心であった軍事パレードの意味である。アメリカが絶対的優位を誇ってきた核戦力にかんしても中国は急速に追いあげており、一部の領域においてはすでに超えつつあることを、北京官僚指導部は見せつけたのである。

アメリカ本土を直接に標的にしうる巨大な大陸間弾道ミサイル「東風（ＤＦ）41」（別々の地点を標的にしうる各個誘導の核弾頭を最大十個搭載）や、潜水艦発射弾道ミサイル「巨浪２」。アメリカのミサイル防衛システムをうち破る新兵器、複雑な軌道をとる「極超音速兵器」搭載の新型弾道ミサイル「東風17」も初公開された。

極超音速滑空兵器ＤＦ－17（10月１日、天安門広場）

新たな「空母キラー」と呼ばれる超音速巡航ミサイル「長剣１００」や、精密誘導の中・短距離ミサイルの数々。これらは、日本やグアムの米軍基地を標的にするだけではなく、中国海軍の西太平洋・インド洋への進出を封じるために動くアメリカとその同盟国の艦船を標的にしている。とりわけ今一九年に入ってから南シナ海ばかりではなく台湾海峡で軍事行動を連続的に展開している米空母部隊やアメリカ同盟国艦船を撃破する能力をもつとされる。

中国が絶対に譲らない「核心的利益」と位置づけているのが台湾だ。この台湾の蔡英文政権にたいしてトランプ政権が、歴代のアメリカ政府がとってきた「一つの中国」政策を実質的に反古にして政治的・軍事的支援を強めていることに、習近平政権は危機感を昂じさせている。「一国二制度」のもとでの中国本土との統一を拒絶して「独立」を志向する蔡英文は、アメリカからの支援をうけ、しかも北京官僚政府の香港人民弾圧への台湾人民の怒りを背景として、来たる二〇年一月の総統選挙において再選される趨勢にあるのだ。

一九年七月に発表された中国の新国防白書で「座視できない危険と挑発」の第一に挙げられていたのが「台湾独立勢力」であった。一九年年頭の習近平発言――「武力行使の選択肢も放棄せず」を引きつぐかたちで、この国防白書においても「台湾を独立させせようとするならば中国軍は一切の代価を惜しまない」と明記されている。今回の軍事パレードにおいても、中国版海兵隊の上陸作戦用水陸両用車を披瀝して台湾政府を威嚇したのが、習近平政権なのである。

軍事パレードで見せたのは、各種新型兵器だけではない。習近平政権がおしすすめてきた軍改革の一端もここで披瀝された。宇宙・サイバー・電子戦を担う新設の「戦略支援部隊」がはじめて表舞台にあらわれた。一八年年頭から中央軍事委員会の管轄下に入った治安弾圧専門部隊・武装警察も軍の一部としてパレードに登場した。

種々の最新鋭兵器を誇示し、宇宙兵器ではアメリカに先んじていることを誇るかのように「戦略支援部隊」を登場させた習近平政権。こうして彼らは、あらゆる部面で力の衰退をさらけだしているアメリカ帝国主義権力者にたいして、軍事面においても中国がアメリカをキャッチアップしつつあることを見せつけたのである。

「強国化」スローガンの後景化と「新時代の長征」の呼号

アメリカ権力者にたいして経済的にも政治的・軍事的にもあくまで対抗する構えをしめしつつも、「七十周年」行事においては「○○強国」という語を封じたのが、習近平であった。中国にたいしてだけではなく世界中の国々にたいして強大な軍事力をバックにしてアメリカの国益を押しつけてくるトランプ政権。これを習近平政権は、「一国主義」「保護主義」「覇権主義」と非難し、欺瞞的にもみずからを「世界の平和、安定、共存共栄」の〝護り手〟としておしだそうとしているのだからである。そうすることによって彼ら北京の官僚政府は、軍国主義帝国アメリカがいまだかつてなかったほどの衰退をさらけだしている今こそ、近隣諸国やアフリカなど後進諸国の権力者たちをさらに深く抱きこみ、また、トランプのアメリカと距離をおく欧州諸国権力者との関係を緊密化せんとしている。〝東がダメなら西へ行く〟とばかりに「一帯一路」構想にもとづく中国主導の巨大経済圏をアジア・ヨーロッパ・アフリカの諸国を抱きこみつつ創出することに血道をあげている。そのために、「製造強国」「デジタル強国」「宇宙強国」「海洋強国」……などというこのかん高唱してきた「強国」づくしのスローガンを避け、「ウィンウィン」だの「人類運命共同体」だのと謳いあげているのだ。

それだけではない。〈米中貿易戦争〉が熾烈化するさなかにあって、トランプが対中制裁関税の二五％から三〇％への引き上げを当面先送りすることを表明した（九月十一日）。このもとでアメリカ帝国主義の対中制裁圧力のエスカレートを回避するためにも、習近平政権は「〇〇強国」という標語をふりまわすことを控えたのだ。

中国の最先端技術開発・ハイテク産業育成阻止を中心眼目としてトランプ政権がしかけ、これに習近平政権が対抗するというかたちで激化してきた米中貿易＝通商戦争は、すでに一九年春の段階において両者の全面的激突にいたったのであった。五月の米中通商協議を前後してトランプ政権は、国有・民営のハイテク企業にたいする中国政府の「産業補助金」全面撤廃などを習近平政権に受け入れさせるために、制裁関税の追加引き上げを通告し、また、次世代高速通信「５Ｇ」の開発・実用化で最先端をいく華為技術（ファーウェイ）にたいする全面禁輸措置にうってでた。これを「市場社会主義国」中国の根幹を破壊しようとするものと受けとめたのが、習近平らであった。アメリカが攻撃の的にする「中国製造二〇二五」などをさしあたり表面的に後景化させて激突を回避しつつ米中協議を継続させ、その時間的猶予のうちに技術開発や産業構造の再編をなしとげる、という方策をとっているのが習近平政権なのである。

没落の急坂を転げ落ちているとはいえ核軍事力においては依然として世界のスーパーパワーの地位を占めるアメリカ帝国主義。〈人民元の国際化〉が一定程度は進展しているとはいえ、今なお基軸通貨国たるアメリカ。このアメリカ帝国主義から「世界の覇者」の座を奪いとることをめざしているのが習近平中国である。けれども同時に、トランプ政権の制裁関税積みあげによる対米輸出の激減は中国国内経済にはね返り、リーマン・ショック時（〇八年九月）をもしのぐ不況の波におおわれている。アメリカ政府の中国ハイテク企業との取引停止・禁輸措置は、半導体集積回路などの多くを輸入に頼ってきた中国経済の技術的基礎の脆弱性をあらわにしたのだった。こうしたなかで、トランプ政権の反撃的攻勢に対抗して中国じしんの技術力・経済力・軍事力を高めて「奮闘目標」実現をめざしてゆくという二〇五〇年までの長期的展望を描いているのが習近平政権なのだ。中国革命に先だって紅軍がおこなった大移動になぞらえ、「新長征」を呼号したのが、五月末に江西省を訪れ「長征出発の地」に立った習近平であったのだ。

香港理工大での弾圧（11月18日）

十月一日の式典で天安門城楼から習近平は「全党全軍全国各民族人民は団結し、中国の夢実現のために奮闘せよ」と号令をかけた。紅軍すなわち共産党軍が長征をつうじて一九四九年革命の基礎をつくったように、建国七十年の今日、共産党の指導に従い「社会主義現代化強国」実現にむかって行軍せよ！というわけなのだ。国旗でも軍旗でもなく、党旗を先頭にした軍事パレードに、ネオ・スターリン主義官僚どもは二十一世紀の「新長征」を象徴させたのであろう。一九四九年革命をもって阿片戦争以降の民族の屈辱の時代に終止符をうった中国共産党、この党が率いる中国国家は、いまや、アメリカとの激闘をかちぬいて「中華民族の偉大な復興」をなしとげるための道を歩んでいるのだ、と。「中華民族がもつ五〇〇〇年の文明史」などという〝神話〟をもでっちあげつつ中華ナショナリズムを煽りたて、もって、勤労人民の不満や抗議の爆発は押さえこみ、共産党専制というかたちをとったこの国家のもとに勤労人民・諸民族人民を統合してゆく――このために、「建国七十年」行事はかくも仰々しくおこなわれたのである。

強権的人民支配の強化

アメリカとの貿易戦争のあおりを受けて中国経済は、いまや危機的状態にある。ＧＤＰ（国内総生産）の伸び率は下落しつづけ、とりわけ製造業の沈滞は著しい。輸出産業部門の中小企業では倒産が相次ぎ、外資系をはじめとする多くの企業が先を争うかのように工場の海外移転をすすめる。ＩＣＴ（情報通信技術）産業の大企業をふくめて企業経営者はリストラに走る。こうしたなかで、労働者・農民・農民工と党＝国家官僚・党員でもある資本家どもとの「貧富の格差」はますます激しいものになっている。それゆえ勤労人民のなかには、習近平政権への不満と憤りがたぎっている。「外患」にそなえて「内憂」を除去するといっても、国内経済低迷の打開策はみいだせない。こうしたなかで、勤労人民の不満や反抗を押さえこみ「新長征」を実現するために、「中華民族の偉大な復興」の旗をうちふり官僚的強権的支配の強化に狂奔しているのが習近平政権である。

昨一九年十月末の中国共産党第十九期四中全会（中央委員会第四回全体会議）のテーマである「中国の特色ある社会主義の国家制度・統治システムの現代化」は、まさに、このことのためのものである。四中全会の日程・テーマを審議し発表した中央政治局会議（八月末）では、同時に、「党内統治」とそのための「党内法規」なるものが審議された。共産党という名のこの中国型ネオ・スターリン主義党が人民を専制支配するためには、まずもって、この党全体を習近平ら最高指導部の統制に従わせなければならない、というわけなのである。

この党の党員は、今では九〇〇〇万人に膨れあがっている。成人をとれば、ほぼ十人に一人が党員だ。その多くは、国家諸機関職員とりわけその幹部や、種々の専門家、そして企業管理者や経営者であり（労働者は七％ほど）、ハイテク産業をふくめて民営大企業の資本家・経営者もほとんどすべてが党員である。この党員たちを「党内法規」をふりかざして監督し党中央に従わせること、これが、習近平ら中央官僚トップが言う「党の全面的で厳格な統治」である。習近平らは、彼らに陰に陽に抵抗する官僚たちに「党内法規」をふりかざして粛清の脅しをかけ、また、はなはだしい汚職や贈収賄を規制して綱紀粛正をはかろうとしている。官僚のあからさまな腐敗を放置していると人民に見られるならば、この党と習近平政権にたいする勤労大衆のいっそうの怒りと反逆を呼びおこすだろうことが、目に見えているからだ。

「中国共産党の指導」が「中国の特色ある社会主義の本質的特徴」であり「党の強固な指導を堅持することが中華民族の運命と結びついている」と言う習近平。彼らネオ・スターリン主義党官僚どもは、党員にたいする統制・監督を強化し、この巨大な党をテコにして、勤労人民にたいする支配をさらに強固にし、彼ら共産党の専制支配を脅かしかねない〝内憂〟を撲滅しようとしている。たとえ「人民が主人公」だの「人民のため」だのという言葉で粉飾されようとも、習近平らが言う「統治システム・統治能力の現代化」とは、ネオ・スターリン主義官僚専制体制の強化以外のなにものでもない。

実際に、見よ。「香港住民による香港管理」と謳っても、この「住民」は北京政府がいう「愛国者」でなければならないのだ。「五大要求完全実現」を掲げてたたかいつづける香港の学生・人民は、習近平らにとっては「愛国主義」という「中華民族精神の核心」を失った「暴徒」であり、重武装した香港警察をつきうごかして武力鎮圧する対象なのである。

この習近平政権は、ウイグル人民にたいしては「対テロ闘争」と称して一〇〇万人民を「矯正施設」なるものにたたきこみ、共産党と習近平への賛美を強制し民族独自の言語も文化も宗教も捨てさることを強いている。「中華民族の偉大な復興」を謳う北京の中央政府によるウイグル人民など諸民族人民にたいする支配の強化は、まさしく民族同化の強制として貫徹されている。それは、漢民族による他民族支配という性格をあらわにさえしている。

この政権はまた、中国全土で続発する労働争議や農民たちの抗議行動を圧殺するばかりか、その指導者や支援者を投獄し、ある場合には抹殺さえして、労働者・農民の運動を根絶やしにしようとしてきた。だが、それゆえにこそ、しかも今日の深まる貧窮化のなかで、勤労人民の深部には、この党と政府にたいする怒りが渦まいている。

このことを知るがゆえに習近平らは、不屈につづく香港人民の闘いが中国本土の労働者・人民を鼓舞し彼らに決起を促すことを心底恐怖し、一刻もはやくこの闘いを圧殺せんとして、香港政府・香港警察をつきうごかしての血の弾圧にうってでたのである。

ネオ・スターリン主義党＝国家官僚どもによる香港人民にたいする武力弾圧を満腔の怒りをこめて弾劾せよ！

「世界の中華」になりあがることを夢みて対米対抗の核戦力強化に突進し、同時に「統治システム現代化」と銘うって強権的専制支配体制の飛躍的強化をいそいでいるのが、習近平政権だ。習近平政権による人民弾圧・抑圧支配強化を許すな！　米―中・露核戦力強化競争反対！

われわれは、苦闘する中国労働者・人民に、彼らを抑圧支配するこの党と国家のネオ・スターリン主義的本質への自覚を促し、その打倒をめざすべきことを呼びかけ、ともにたたかってゆくのでなければならない。

（二〇一九年十月。十一月に一部加筆・訂正）

註　中国共産党創立一〇〇年（二〇二一年）までに「小康社会完成」と、建国一〇〇年（二〇四九年）までに「社会主義現代化強国実現」の二つを指す。

〔**本誌掲載の関連論文**〕
- ネオ・スターリニスト習近平政権の香港人民への武力弾圧を許すな　無署名（第三〇三号）
- トランプが仕掛けた中国主敵の＜貿易戦争＞　大沼　実（第二九七号）
- 「社会主義現代化強国」構築を呼号する習近平　青島　路子（第二九四号）
- 中国「新型城鎮化計画」の反人民性　寒田　遥（第二八九号）

給特法改定案の可決・成立弾劾！

学校現場への年単位の変形労働時間制導入を許すな！　給特法を撤廃せよ

一年単位の変形労働時間制の導入を柱とする給特法（教育職員の給与等に関する特別措置法）改定案が日教組本部の闘争放棄と全教本部の闘争歪曲とに助けられて、二〇一九年十二月四日に可決・成立させられた。たたかう教育労働者は、既成指導部の裏切りを弾劾し、〈年単位の変形労働時間制の学校現場への導入阻止！　給特法撤廃！〉をかちとるために全力でたたかうのでなければならない。

給特法改定案は、労働基準法に定められている一年単位の変形労働時間制を教員にも適用すること（現在は公務員には禁止されている）、また時間外労働時間の上限を新たに定めることなどを内容としている。「業務の仕分け」が完全に行きづまっているもとで、「教職員の働き方改革」の目玉商品としてそれはおしだされている。

文部科学省は一年単位の変形労働時間制を、労基法の法文を恣意的な「読み替え」を乱発することによって大きく改変するかたちで学校に導入しようとしている。すなわち、民間企業において繁忙期のふくれ

「繁・閑」期のねつ造

あがる残業代を大幅に削減したい経営者の要求をうけ入れて八時間労働制を変形＝破壊したものが、一年単位の変形労働時間制なのである。これをもさらに大きく改悪したものが教員への変形労働時間制の導入なのだ。

「一年単位の変形労働時間制」は、繁忙期と閑散期がはっきりしている業種に導入することが大前提とされている。〝年中繁忙期〟の学校職場に導入しうる制度ではない。にもかかわらず、文科省・中央教育審議会は、無定量・不払いの長時間残業の法的根拠である給特法をあくまでも護持したうえで、「働き方改革」の「成果」をなんとかあげるために、一年単位の変形労働時間制に目をつけ、これを学校職場に強引に導入しようとしているのだ。このゆえに彼らは、夏休み期間を「閑散期」と強弁して、休日のまとめどり（十日間）を強制し、他方、この休日のうちの五日分を確保するために四、六、十、十一月の四つの月のみを「繁忙期」とみなして、所定労働時間を週三時間も延長することを企んでいるのだ。（あと五日分は年休などを強制。）

「繁忙期」とみなされた四つの月は、長時間残業が相対的に多い月であるにすぎず、その他の月もすべて長時間残業を強いられている月であることに変りはない。また夏休み期間も部活動や研修や来学期の準備などに追われて、夏期休暇も取れないのが教員の現実であって、これを「閑散期」などと言いなすことは、学校現場の実態をまったく無視したものである。このような〝人為的操作〟による「閑散期」と「繁忙期」のねつ造は、一年単位の変形労働時間制を無理矢理導入するために仕組まれたものにほかならない。

所定労働時間の週三時間の延長の企みは、教員の拘束時間の延長であって、「働き方改革」の大義名分である「長時間労働の是正」に公然と逆行するものである。これは、四つの月を強引に「繁忙期」とみなすことによって、教員によりいっそうの長時間労働と労働強化を強いるもの以外のなにものでもないのだ。しかも、当局にとっては時間外労働時間を数字上週三時間縮減することができ、「成果」としておしだすことができる、という悪辣なやり方なのである。これは、教員の過酷な長時間残業の実態をおし隠す姑息な詐術以外のなにものでもない。要するに、学校版年単位の変形労働時間制は、「夏休み期間の休日のまとめどり」を目玉商品として押しだしつつ、その実は「繁忙期」とみなした月には教員を馬車馬の如くによりいっそうコキ使うことのできる制度にほかならない。教員の心身の疲弊を軽減させるどころか、所定労働時間の延長による業務量の増大によって、むしろ夏休み前に過労で倒れる教員が続出しかねないのだ。

「労使協定」締結の否定

それだけではない。一年単位の変形労働時間制が適用される場合には、超過勤務が残業とみなされ残業代が規定どおりに支払われていることが大前提である。繁忙期には残業が増大することにともなって残業代もふくれあがる。このゆえに、残業代の増大を抑え削減するために残業時間を残業代を払う必要のない所定労働時間に切りかえる変形労働時間制の導入を資本家は企むのである。要するに彼らは、「繁忙期」には、労働者に残業代なしの長時間労働を強いることのできる合法的な権利を手に入れることができるのである。年単位の変形労働時間制を導入した民間企業においては、軒並み労働時間のよりいっそうの延長がもたらされているのだ。資本家の残業代大幅削減の要求に応えて八時間労働制を変形(=破壊)させるのが変形労働時間制であるがゆえに、「労働者保護」を精神とし建前とする労基法においては、資本家が一方的にこれを導入することに一定の歯止めをかける仕組みがもうけられている。それが労働者の合意(=労使協定の締結)の義務づけである。しかもこれを労働基準監督署に届け出なければならないとされているのだ。

ところが文科省が企む学校版の年間変形労働時間制の場合には、労使合意(労使協定)が不要とされ否定されている。各自治体当局が条例で決定すればよい、とされているのだ。「条例主義」の名のもとに、労働者(労働組合)との合意=労使協定の締結を排除して使用者=自治体当局がこの制度を一方的に導入することが認められているのである。このことは、政府・文科省が、給特法の精神にのっとって教育労働者を労働者とは認めず「専門職」（聖職）であるとみなすことをもって、労基法三七条（さらには実質的に三六条）の適用をあくまでも排除しつづける、という階級意志を改めて鮮明にしたものと言ってよい。

マヤカシの上限規制

それだけではない。給特法改定案に文科省は新たに時間外労働時間（労基法にはなんらの規定のない「在校等時間」などという概念をデッチ上げて規定しているそれ）の上限規制をもりこんでいる。だがそれは、上限を月間四十五時間（年間三六〇時間）に設定しているものの、特例として月間一〇〇時間という八十時間の過労死ラインを大きく越えたそれも容認したものだ。しかも教員の場合、時間外労働は残業ではなく、残業代ゼロの「自主的活動」とみなされている。上限規制とは言っても、「自主的活動の時間」のそれであって、タダ働きの時間の上限を明記した、というデタラメな意味しかもたない。いや月一〇〇時間ものタダ働きを逆に法律上容認するという反動的な意味すらもつのである。しかも驚くべきことに罰則規定がなく、「規制」とは名ばかりなのだ。これは事実上、現状を追認し正当化するもの以外のなにものでもない。

以上のように給特法改定案は、教育労働者をトコトン愚弄したデタラメきわまりないものなのだ。

文科省の今日の教育改革政策の中心眼目は独占資本家どもの強い要求に応えて、「第四次産業革命」をめぐる国際競争における立ち遅れをなんとしても挽回し「ソサエティ5・0」を実現するための「イノベーション人材」を育成することであり、同時に「救国」のために命を賭する覚悟をもった愛国心に満ちた国民を育成することにある。彼らは、これに日本の教員を総動員し専念させることのできる時間を確保すること、これを「教職員の働き方改革」の直接の目的としている。だが、一年単位の変形労働時間制は、もともと年間総労働時間をなんら減らすものではない。「本来業務」に専念する時間的余裕を教員に与えるどころか、すでに右に見たように、ますます多忙化に拍車をかけるだけである。また年単位の変形労働時間制が労働時間を縮減するものではないがゆえに、セットでうちだされた「在校等時間」の上限規制なるものも罰則規定がなく、事実上無制限の残業を容認し追認するものなのだ。政府・文科省は、ただただ夏休みのまとめどりを学校版「働き方改革」の目玉商品として押しだし「成果」としてアピールすることに、躍起となっている。

〝あるべき教師像〟が定まらないことによって「業務の仕分け」が、カベにぶちあたっている今日においてはなおさらそうなのである(註)。

いうまでもなく、これは、政府・文科省による学校版「働き方改革」そのものが、あくまでも給特法の維持を大前提としているがゆえに生みだされる矛盾を教育労働者に犠牲を強いるかたちで強引にのりきろうとするものであることにもとづいている。今日、「教職員の長時間労働の是正」を名分とした学校版「働き方改革」は完全に行きづまっている。中教審は、「働き方改革」の数値目標(「勤務時間縮減の目安」)として、部活動の削減によって年約二八〇時間、登下校時間等の見直しで年約一五〇時間、校務支援システムの導入で年約一二〇時間などをかかげている。しかし、この低い目標すらも「働き方改革」の初年度は、スポーツ庁のガイドラインなどにもとづいた部活動の削減によって一定程度の「成果」(ほんの数%削減)をあげたもののそれ以外は、完全にカベにつきあたっている。このゆえに、この原因を教員個々人の意識にもっぱらもとめて、「意識改革」のための尻叩きとして「働き方改革」への人事評価の導入を企む県教委もではじめているのだ。

まさしくこの破綻を糊塗しのりきるためにこそひねりだされたのが学校版「年単位の変形労働時間制」であり、その強引な導入であり、これとセットで打ちだされた「在校等時間」の罰則規定なき「上限規制」なのである。具体的には、「夏休みのまとめどり」を「成果」の目玉商品としてつくりあげることであり、そのために年単位の変形労働時間制における「繁忙期」などと強引にみなした月における所定労働時間の延長の教員への強制である。給特法をあくまでも護持することにもとづく学校版「働き方改革」の破綻を、もっぱら教育労働者への犠牲の転嫁によってのりきろうとするものにほかならないではないか。各自治体における、この制度の導入、そのための条例の成立を絶対に許してはならない。

法案成立を尻押しする日教組本部を弾劾せよ

これにたいして日教組本部は何をしているのか？彼らは、一年単位の変形労働時間制の導入を「長時間労働を是正していく上で一定寄与するものである」などと美化し「給特法改正案を今国会で成立させる」と称して、安倍政権への支持すら表明したのだ。「在校等時間」の上限規制についても、「四項目以外が含まれる」と評価し「指針化させ法的規制を先行させる」として政府・文科省を尻押ししたのだ。（三年後の再検討などを含む付帯決議を、自分たちの要求がうけ入れられたものとみなして全面的に美化しつつ。）これを歴史的な大裏切りといわずして何と言おうか。「毒まんじゅうの毒をぬいた」と称して給特法の成立に加担したのと同様の犯罪行為に彼らは手を染めたのだ。日教組本部は、「働き方改革は容易にはすすまない。今回はファーストステップだ」と主張する自民党教育再生実行本部長・馳浩につき従って、「一段階上がらなければならない」「給特法廃止までの一つのプロセスとしてとらえ、反対の立場はとらない」などという許しがたい言辞を吐いたのだ。

もはや明らかである。「教職員の働き方改革」をめぐって、馳浩に抱きつきその〝政治力〟（ほとんど無いが）に依存することによって、政府・文科省にからめとられその別働隊と化したのが今日の日教組本部なのである。「参加・提言・改革」をシンボルとする日教組版労使協議路線のナレの果てといわずして何と言おうか。

全教本部は、給特法改定案成立に反対すると称して反対の請願署名や国会前行動に一応はとりくんできたものの、「ゆきとどいた教育」を求める世論づくりの運動として位置づけ闘いを歪めている。しかも、「四％の調整額が教育労働の特性に見合うものとして維持されることは当然」と叫び、民主的教師論（教師聖職論）にもとづいて給特法をその根幹において支持し肯定する日共中央につき従っている。このゆえに、全教本部が給特法改定案に反対を表明したとしても、その本質は、専門職＝聖職としての教員にふさわしい、よりよい給特法への改良を要求するものにすぎない。

たたかう教育労働者は、これらの指導部の裏切りと歪曲をのりこえ、〈一年単位の変形労働時間制の学校現場への導入阻止！　まやかしの「在校等時間」の上限規制反対！　給特法撤廃！〉をかちとるために、長時間残業の強制に苦悩する多くの教育労働者の怒りを結集しつつ、下からの闘いをよりいっそう強力に展開するのでなければならない。

註　中教審答申において「業務の仕分け」のガイドラインが発表されたものの、〝日本型の教育〟の特殊性（子供を人間丸ごと教育するいわゆる〝全人（格）教育〟と称するそれ）を良いものとして肯定し護持するべきとする主張が日本の教育界に根づよくある。このことに規定されて、教員の「本来業務」を明確にすることを目的とする「業務の仕分け」において、「日本型教育の長所」を考慮するべきことが中教審において確認された。しかしこのことのゆえに文科省は「業務仕分け」の線引きを明確に定めることができないでいるのだ。いいかえれば、欧米の教員のように業務を授業に特化することにたいする〝抵抗感〟が、日本の場合には、「教育勅語」にもとづく教育を美化する日本会議系を先頭に安倍政権や支配階級の内部に広汎に存在しているのである。

本誌掲載の関連論文

- 教職員の「働き方改革」への人事評価導入を許すな　木場潟　涼（第三〇四号）
- 教員の過労死認定を拒否する災害補償基金石川県支部　木場潟　涼（同）
- 小中学校への「統合型校務支援システム」導入攻撃　山田明日香（同）
- 学校版「働き方改革」反対！　牛山　剛三（第三〇二号）
- 文科省版『働き方改革』を尻押しする全教本部　上村　崇（第二九八号）

日本版「ＡＩ戦略」実現のための「教育改革」

星ヶ浦青児

「ソサエティ５・０に向けた人材育成」の呼号

いま日本帝国主義は、ＡＩ（人工知能）・ビッグデータ・ＩｏＴ（モノのインターネット）・５Ｇ（次世代高速通信システム）などの先端技術開発・導入をはじめとする「第四次産業革命」において、アメリカ・中国はおろかドイツにも大きく水をあけられている。生き残りの道をさぐる安倍政権は二〇一九年六月、日本版「ＡＩ戦略」を策定した。ＡＩ・ビッグデータ技術開発そのものでは米・中の巨大ＩＣＴ（情報通信技術）企業にはもはや太刀打ちできないという認識にたって、〝日本の強み〟を活かせるとみなした「健康・医療・介護、農業、国土強靭化、交通インフラ・物流、地方創生」の五分野におけるＡＩ技術の本格的開発・導入に軸を定めて国際競争力を強化しようとしている。

この日本版「AI戦略」において、安倍政権が重要課題に位置づけているのが「AI人材」を育成するための「教育改革」である。日本の諸独占体が世界のトップランナーとなるために「飛躍的な知を発見しイノベーションを創造する人材」の育成に焦っているのだ。とりわけ力を注いでいるのがAI技術の開発とビッグデータを活用して新ビジネスを開拓するデータサイエンティスト(註1)と呼ばれる専門職の育成である。

今後の教育においては『予測不可能な社会』においてみずから新たな課題を設定し、ビッグデータを分析し、そこから新技術や新たなビジネスを開発する」能力・資質の育成を重視している。そのために従来の文・理分断の教育から、文・理融合のスチーム教育(註2)へと転換すべきことを政府・文部科学省はうちだし、大学・高校・中学にいっせいに導入しようとしているのだ。

政府・文科省は、今後すべての大学で「デジタル社会の読み・書き・そろばん」として数理・データサイエンス・AIの履修を必修にし、高校改革では「普通科」を再編して「グローバル科」「サイエンス・テクノロジー科」の新設をうちだしている。小・中学校でも理数教育と英語教育、プログラミング教育など情報活用能力の育成を重視することを明確にした。政府・文科省は、スーパーエリートを育成するために、ギフテッド(註3)と呼ばれる特別な才能をもつ子どもたちを幼児期から選抜し英才教育をアメリカに見習っておこなうことをも策しているのだ。

同時に政府・文科省は、今後数十年のうちに現在の職業で働く人々の五割弱がAI、ロボットに代替されるという予測のもとに「産業構造のめまぐるしい変化」に対応して、「たえずスキルアップを成し遂げる」「自ら学び続ける力」をもつ人材の育成を掲げている。つまるところ政府・文科省は、一方では、ほんの一握りのスーパーエリートの育成をめざしている。他方、それ以外の圧倒的多数には、AI・ロボット導入のもとで資本家どもにこき使われAI・ロボット導入にともなう失業にも耐えひたすら次の仕事へのスキルアップにみずから励む従順で実直な労働者としての能力・資質を育成することをたくらんでいるのだ。

「教育の情報化」と称してのＡＩ・ビッグデータの導入

安倍政権は一九年六月、国家をあげてＡＩ・ビッグデータ・ＩＣＴなどの先端技術を教育現場に導入するために「教育の情報化推進法」を制定した。二一年から運用を開始するために、準備を急ピッチで進めている。ＡＩ技術を利活用した教育技術諸形態はエドテック（註4）と呼ばれており、その中軸は、ＡＩ・教育ビッグデータ網の構築にある。教育ビッグデータを国家のもとに一元的に管理するために、学習指導要領のコード化、教育データ（学習系、校務系）の全国標準化をはじめとする準備と国立大学・公立研究機関がつくりだしている学術通信ネットワークＳＩＮＥＴの小・中・高校への開放・接続の準備をおこなっている。各学校への無線通信ネットワークＬＡＮの敷設と「新たな文房具」＝ＰＣ端末・タブレットの一人一台携帯の計画やＡＩドリルや英語教育用ロボット（註5）、グループ学習のためのセンシング機器の実証実験などをもどしどしとおこなっている。各教育資本もまた、様ざまな教育機器やＡＩドリルやデジタル教科書・教材の開発にしのぎを削っているのだ。

学校現場へのエドテックの導入

いま学校現場は新学習指導要領の前倒し実施によって子どもも教員も息つく間もないほどの過酷な状況に叩きこまれている。小学校からの英語教育とプログラミング教育、特別の教科「道徳」の強行。「学力向上」を至上命令にしての朝学習、放課後「補習授業」や学力テスト対策のＷｅｂテスト。さらには給食準備時間にまで「プリント学習」にとりくむ学校までもが生みだされている。教育労働者たちは連日深夜まで〝残業〟を強いられ、早朝出勤や土・日の休日出勤が常態化している。このうえさらに教育労働者と子どもたちを「学力向上」に駆りたてているのが安倍政権・文科省だ。

政府・文科省は、エドテック導入による学校教育の「効率化」と称して、場所と距離・時間の制約を超えていつでも・どこででも高度な専門教育を実施する、ＡＩ・ビッグデータ・ＩｏＴなどの先端技術を使った文・理融合の教育を実現する、と謳っている。国語・数学（算数）・理科・英語・社会などの教科学習を効率的に進めることも強調している。経済産業省官僚どもは、「学校現場は知識のインプットで手一杯。探求・プロジェクト型学習をおこなう余裕がない。知識はエドテックで効率的に学んで時間を捻出する」などとほざいている。（一九年六月の経産省『「未来の教室」ビジョン』第二次提言）

能力主義教育の飛躍的強化

政府・文科省はエドテックを活用して「一斉・一律の授業スタイル」を大きく変えようとしている。文科省の実証研究では、授業冒頭に教員がよびかけをおこなうだけで、あとは一人ひとりがＰＣ端末にむかってＡＩドリル学習をおこなうだけなのだ。ＡＩドリルを終了すると、次のスチーム教育＝探求・プロジェクト型学習（註６）にとりかかる。「できる子ども」はドンドン高度な学習へ進み、「できない子ども」は遅れるばかりかスチーム教育にはたどり着くこともできない。こうした能力主義まるだしの教育がすでに実施されているのだ。

しかもゲーム感覚のＡＩドリルは、子どもたちがドンドン「はまる」ように設計されており、教室はゲームセンター化するとともに、子どもたちの情感の鈍磨、思考力の喪失、人間関係の未形成・崩壊が一挙に進むにちがいないのだ。

また「グループ学習」では、教室に設置したセンサーによって発話回数・量を計測し、発言内容を電子データ化してビッグデータに追加・記録する。センサーは生徒指導にも利用し、登校・下校時間、家庭学習の成績・時間などあらゆる行動をデータ管理し分析・評価に利用する。これを教員の指導にも適用し、管理職・教育委員会が学習指導・労務管理、人事評価に利用するのだ。

政府・文科省はさらに新たな選別教育をもたくらんでいる。エドテック導入によって可能となる「個別最適学習」にもとづいて、異なる学年・クラスの子どもを集めた「協働学習」を実施しようとしている。クラスも学年も異なる子どもを学力でふるいわけ、さらには同じ子どもでも教科ごとの成績によって別の集団で学習させようとしているのだ。これは現行の学年・クラス制度や教育課程などの解体を意味する。能力主義にもとづく新たな選別教育の導入と現行教育制度の抜本的改編をたくらんでいるのが政府・文科省なのだ。

政府・文科省は、一握りのエリートを育成するために、「学力至上主義」のもとで朝から晩まで学習づけにしすべての子どもを徹底的に競争させるのだ。ついていけない子どもたちは落ちこぼれるしかない。その結果、学校現場には何が生みだされるのか。新学習指導要領の前倒し実施によって、ここ一年で不登校の小・中学生が一四％増（一六万人）、いじめ件数も中学校で二一％増、小学校で三四％増と圧倒的に増加している（文科省の二〇一八年度問題行動・不登校調査）。能力主義教育がさらに強化されるならば、学校現場は、さらに荒廃しまさに〝教育破壊〟としかいいようのない事態が生みだされるにちがいないのだ。断じて許してはならない。

トヨタ式カイゼン方式の導入

政府・文科省は労務管理を飛躍的に強化するためにも、学校現場へのエドテック導入をたくらんでいる。経産省はこのことをストレートに「教室をエドテックによる学びの生産性をカイゼンする実証の場へ」「学校ＢＰＲ（ビジネス・プロセス・リエンジニアリング）にもとづいて学校業務の抜本的改革のためにデジタル・ファーストでのカイゼンを実施せよ」と叫びたてているのだ（『未来の教室』ビジョン」第二次提言）。「教材や宿題の配布や採点をはじめ、あらゆる事務作業のデジタル化を徹底して進めよ」「同じ成果なら授業の時間数が少ないほど良い」「教員の授業力を数値化せよ」「短時間で楽しく効率的な学習を進める授業へのカイゼンをすすめよ」(同提言)。

ＡＩ機器導入のもとで管理職にこき使われ監視され、ますます超勤多忙化に叩きこまれる教育労働者。さらに校務支援システムを利用して教委・校長ら管理者は「生産性向上」を促すために教育労働者にたいする労務管理を徹底的に強化しようとしている。こうした独占資本家的労務管理の教育現場への貫徹を断じて許してはならない。

超エリートを育成するための義務教育制度の改悪

安倍政権・文科省は一九年四月、「新しい時代の初等・中等教育のあり方」にかんする次の諸点にかんする諮問を中央教育審議会におこなった。⑴「ソサエティ5・0時代の義務教育」として「学級担任制と教科担任制のあり方」「習熟度別指導のあり方」「授業時数などの教育課程のあり方」などの見直し。⑵「多様な人材を活用する教員免許・養成制度」の見直しなど(「高等学校改革」については本誌第三〇二号所収の安芸喜太三論文参照)。

政府・文科省は、スーパーエリートを育成するために現行義務教育制度の大改悪をたくらんでいる。その概要は、文科相を座長とする懇談会の報告「Ｓｏｃｉｅｔｙ5・0に向けた人材育成」(一八年六月)において次のようにうちだされている。

(1) エリート育成のための義務教育制度の〝弾力化〟

①小・中一貫校の推進と小学校高学年への「教科担任制」の導入。政府・文科省は、スーパーエリートの育成を目指して、能力があるとみなした子どもたちを発見しより迅速に育てあげ、社会に送りだすことを追求している。これまで中学、高校でおこなってきた教育内容を小、中学校で教えることを進めている。そのために小学五・六年生から教科担任制を導入し、本来、中学校でおこなう教科内容を前倒しして付与し「学力向上」をめざす小・中一貫校の

設置を推進してきた。

政府・文科省は、安倍政権がこのかん進めてきた地方自治体の合併、小・中学校の統廃合によって一小学校・一中学校の自治体が激増するなかで、小・中一貫校の設置を一挙に拡大しようとしている。しかも政府・文科省はこうした追求にふまえて、小学校高学年（五、六年生）への教科担任制を全面的に導入しようとしているのだ。

②「飛び級・早期卒業・飛び入学」の推進と学習指導要領の見直し。政府・文科省は、子どもたちのあいだでの同一教科における成績の違いや、同一の子どもにおける教科ごとの成績の違いなどに応じて、効率的な学習を進め、欧米のように十代のスーパーエリートを育成することを狙っている。

エドテックの導入によって、「クラス授業」で一人ひとりに習熟度別学習がほどこされるだけでなく、これまでの「習熟度別学習」とはまったく異なる新たな選別教育「異年齢・異学年の協働学習」を進めているのが政府・文科省である。これをテコにして能力にもとづく選別教育を飛躍的に強化することをたくらんでいるのだ。そのためにこそ「飛び級・飛び入学および早期卒業などの活用」の促進をうちだしたのだ。

③それだけではない。能力さえあれば授業時数や

年度にしばられることなく進級、進学させるために、一年間の授業時間や教科科目修得の授業時間数の制限を廃止するために学習指導要領の「年間授業時数」や「標準授業時間数」の見直しをたくらんでいるのだ。

以上のような施策は、能力主義教育を徹底するための小学校六年間、中学校三年間という義務教育制度の枠組みを実質的に解体するものにほかならない。

（2）民間企業、研究機関からの教員登用のための教員免許制度の改革

また政府・文科省は、小・中一貫校や小学校高学年における専門的・高度な教育を実施するために複数の校種、教科の免許状取得を弾力化することや、企業や研究機関などの「人材」を〝自由に〟教員に採用するために特定教科の免許状を弾力的に取得できるようにすることをうちだしている。

いま進められている安倍政権による「ＡＩ人材」の育成を眼目とした「教育改革」は、先端技術開発における国際競争力の低下にあえぐ独占ブルジョアジーの教育要求に応えたものにほかならない。たとえば、経済同友会は「自ら学ぶ力を育てる初等・中等教育の実現に向けて」において、①「年齢主義から習得主義へ」――年齢による進級・卒業の仕組みを転換し、飛び級や原級留置〔小・中学での留年！〕を検討すること、各教科の授業時数の定めを撤廃すること、②教員養成・免許制度の改定、③デジタル教科書の制限撤廃、④義務教育制度の「抜本改革」、などを〝提言〟している。

こうした独占資本家どもの教育要求に応えて、能力主義的教育をよりいっそう徹底化するものへと現行教育制度・内容を改編することに血眼となっているのが政府・文科省なのだ。まさにそれは、「愛国心」教育を基礎としての、一握りのスーパーエリートとその他の大多数の従順な「国民」を育成するためのネオ・ファシズム的「教育改革」にほかならない。

こうした新たな「教育改革」を断固打ち砕こう！「個別最適教育」の名による新たな能力主義的教育＝選別教育を許すな！　義務教育制度の改悪反対！

戦闘的・革命的教育労働者は、日教組本部による「人権教育」への歪曲をのりこえたたかおう！

註1　データサイエンティスト
　これまでの技術的労働者とは異なり、ＩＣＴにかんする理系的な技術的諸能力とともにビッグデータを解析・処理し新たなサービスの創出に結びつけるような柔軟な発想力をかねそなえた技術的労働者をさす（本誌第二九九号掲載の芦別裕美論文参照）。

註2　スチーム（ＳＴＥＡＭ）教育
　Science 科学、Technology 技術、Engineering ものづくり、Art 芸術・人文、Mathematics 数学の横断的融合的教育をさす。「あらたな科学・技術開発の経験を、科学・技術・工学・数学を横断し人文・芸術的観点をも加味した教育によって身につける」というもの。

註3　ギフテッド
　Gift 贈り物から転じた用語で先天的といわれる特別な能力をもつ人たちをさす。アインシュタインなど。欧米ではこうした「天才」たちを幼児期から選別したギフテッド教育がすすめられている。

註4　エドテック（Ed-Tech）
　Education 教育と Technology 技術をあわせてつくった造語。ＡＩ技術と教育ビッグデータを軸にしてデータ通信網・無線ローカルエリアネットワークＬＡＮで接続したＰＣ端末やタブレットを利用しておこなう学習教育。ＡＩドリル、学習ロボットなどの利用も含めたものの総称。

註5　ＡＩドリル・英語学習ロボット
　インターネットを利用したデジタルドリル。ゲーム感覚で〝楽しみながら学ぶ〟「ゲーミフィケーション」と一人ひとりに最適な学習内容を提供する「アダプティブラーニング」の二種類が中心。現在普及している「すらら」というデジタル教材は両方の機能を用いている。キャラクターによる動画で学習内容を解説し、ドリルで学習。最後にテストを受けて自分の学力を判断する。このくり返しで学習を進めていく。

註6　探求・プロジェクト型学習（ＰＢＬ）はスチーム教育の具体的な手法。課題をみずから設定し、様ざまの知識・技能をつかって課題を解決する力を身につけるもの。たとえばアメリカでは、ある小惑星の地表からサンプルを採取・持ち帰ることをミッションとした宇宙探査機のミニモデルをＮＡＳＡ（航空宇宙局）チームと一緒に設計するというＮＡＳＡ提供のプログラム、地域の風力を調査して、適した風力発電施設をデザインし３Ｄプリンターでオリジナルのミニ風車をつくりだすといったプログラムが利用されている。

日米貿易協定──農畜産物関税引き下げ要求を丸呑みした安倍政権

岩菅洋一

二〇一九年十二月四日、安倍政府・自民党は、日米貿易協定および日米デジタル貿易協定を参議院本会議で強行採決し、与党および日本維新の会などの賛成多数をもって可決・成立させた。首相・安倍晋三が直じきに主催した「桜を見る会」にまつわる数かずの不正接待が明るみにだされ、労働者・勤労人民の怒りが噴きあがる情勢のただなかでも、とりわけ農民・牧畜従事者の怒りの的となっている日米貿易協定の国会成立を会期末ギリギリのタイミングで強行したのが、極反動・安倍政権なのだ。

この日本国会での両協定〝承認〟を見定めてアメリカ通商代表部(USTR)は、「重要な協定を日本が迅速に承認したことを称賛する」という声明を発表し、その後二〇二〇年一月一日の協定発効に向けて大統領トランプが実施を宣言する文書に署名した。この日米貿易協定の内容たるや、日本はアメリカ産牛肉・豚肉などの農畜産物への関税をTPP(環太平洋連携協定)の基準にまで大幅に引き下げるが、アメリカは日本製自動車・自動車部品への関税を継続する、というシロモノなのだ。まさに「アメリカ・

ファースト」をほざくトランプ政権の傲岸な対日要求を一方的に呑まされたのが日米安保同盟の鎖でしめあげられている〝対米隷従〟の安倍政権なのだ。

しかもトランプ政権・通商代表部は、この協定は「部分的な取り引き」にすぎず「より幅広い協定」（日米包括的自由貿易協定＝ＦＴＡ）の締結に向けた協議を二〇年早期に開始すると、こと改めて宣言している。トランプ政権の対日経済要求の全面的貫徹と、このトランプ政権に追従してやまない安倍政権の農民をはじめとした労働者・勤労人民にたいする犠牲転嫁を、われわれは絶対に許してはならない。

日本政府の対米要求をことごとく踏みにじったトランプに屈服

今臨時国会末の日米貿易協定および日米デジタル貿易協定の国会成立は、一九年九月二十五日の日米首脳会談において交わされた「最終合意」、これに国会の〝承認〟という形を付したものだ。農民をはじめとした労働者・人民の怒りを踏みにじって、である。

かの日米首脳会談そのものにおいては、トランプ米大統領が首相・安倍の面前で「アメリカの勝利」を宣言するパフォーマンスがくりひろげられた。ニューヨークの〝高級ホテル〟でおこなわれた日米首脳会談の末尾、「共同声明」の署名式において、トランプは会談に同席させていたカウボーイハット着帽のアメリカ農畜産団体代表に得とくと語った。今回の日米合意は「アメリカの農家・牧場主らにとって巨大な勝利だ」「うれしいだろう。七〇億ドルものオカネが手に入るのだから」と。勝ち誇ったトランプのこの言をまえにしながら、安倍は、農畜産物市場開放を一方的に丸呑みさせられたことをおし隠しつつ、「日米ともにウィンウィンの合意」などとうそぶいた。この男は、日本製自動車・自動車部品にたいするアメリカの追加関税を免れたことにホッと胸をなでおろしていたにちがいない。

今回の「最終合意」において、いや、それにいたるまで一九年四月から数回もたれた日米閣僚級会議をつうじてすでに、日本政府の対米要求はことごとく蹴とばされ、アメリカ政府の手前勝手な要求が押し通された。とりわけ焦点のひとつであった自動車・自動車部品をめぐって、最大限二五％の追加関税を課すと喚くトランプの脅しのまえに安倍政府は膝を屈し、アメリカ政府に現行二・五％の関税をTPP並みに撤廃することを――アメリカ産農畜産物への関税大幅引き下げと引き換えに――オズオズと求めていた要求を完全に引っこめたのだ。そのうえで、もうひとつの焦点であったアメリカ産牛肉・豚肉・ワイン・小麦・チーズなどの農畜産物をめぐって、安倍政権は関税をTPP並みの水準に大幅かつ段階的に引き下げることを了承し、もってトランプ政権の強硬な要求を丸呑みした。

〔牛肉にかんしては、現行三八・五％から最終的には二三年度に九％に引き下げることのみならず、輸入急増の際に関税を引き上げる緊急輸入制限（セーフガード）の発動基準を二四万二〇〇〇トンとすることが決められ、まさにトランプ言いなりの内実である。〕

ただ、わずかにコメにかんしてのみ、アメリカが一方的に離脱する以前に交わされたTPP合意では設定されていたアメリカ産のコメの無関税枠（最大で年七万トン）、その設定見送りを求めた日本政府の要求が受け入れられた。これは、アメリカ産コメの主要産地であるカリフォルニア州が民主党の強力な地盤であり、大統領選でのトランプへの支持はとてもみこめないことのゆえに、トランプがコメの市場開放には固執しなかったからにすぎない。

しかも、「最終合意」などとおしだされていても、実はそうではない。「共同声明」には自動車・部品にかんして「さらなる交渉による関税撤廃」の文言が盛りこまれたものの撤廃の時期は示されておらず、アメリカによる追加関税も「かけない」とは明記されていない。また、「他の貿易上の制約、サービス貿易や投資にかかわる障壁、その他の課題についての交渉を開始する」と謳われている。金融・保険・投資・為替などのあらゆる分野での「包括的な自由貿易協定」（FTA＝日本の全面的な市場開放）をゴリ押しするトランプ政権の意志が明確に書きこまれているのである。このＦＴＡ締結のための交渉を日米貿易協定発効後四ヵ月以内に開始することを、トランプは安倍に押しこんだのだ。

大統領再選に狂奔するトランプの「ディール」

日本との貿易交渉における「勝利」を宣言し七二億ドル相当の農畜産物輸出の道をこじあけたとトランプがことさらにアピールするのは、二〇年の大統領選での再選を果たすためにほかならない。トランプは大統領再選のためにおのれの支持基盤を打ち固めることをこそ狙って、アメリカの要求＝経済的利害を一方的に押しこむかたちでの日米貿易協定（さらに包括的協定）の締結をいそいだのだ。それというのも、トランプ政権が各国とりわけ中国にたいして仕掛けている貿易戦争がブーメランのごとくアメリカ経済にはね返って打撃を与え、トランプの強力な支持基盤たる中西部農業地帯「コーンベルト」の農牧場経営主・農民や没落工業地帯「ラストベルト」の白人労働者層の内からもトランプへの不満・不信が生みだされ拡大しているからなのである。

トランプ政権が相次いで強行した対中国制裁関税に対抗して、中国・習近平政権は大豆・トウモロコシなどのアメリカ農産品に報復関税を課しており、これらの対中国輸出が大幅に落ちこんでいる。それに加えて、トランプ政権の一方的離脱強行(一七年一月)によりアメリカ抜きの十一ヵ国で一八年十二月に発足したTPPのもとで、低関税の〝恩恵〟を受けたオーストラリア・ニュージーランド・カナダの農畜産物の対日輸出が増大し、アメリカの農畜産業者は劣勢に追いこまれている。これらのゆえに、「コーンベルト」の農牧業主・農民のトランプへの不満が高まっているのだ。現に、大統領選での「激戦区」ミシガン州のように、共和党候補の支持率が民主党候補のそれを下回ってしまう州も生みだされている。

それだけではない。中国との貿易戦争(相互対抗的な制裁関税)は、対米輸出の大幅な落ちこみを要因としての中国経済の景況悪化をもたらし、それに規定されてアメリカの対中輸出の減退を招いている。これを主因としてアメリカの輸出総体が減少し、一九年四月いこう四ヵ月連続で前年実績を割りこんでいる。鉄鋼・自動車・化学などのアメリカ製造業は、輸出減少に加え、トランプ政権の対欧州・対インドなどの鉄鋼・アルミ追加関税による原材料(鉄スクラップなど)や部品の価格高騰にも規定されて経営不振に陥っている。化学大手のケマーズや自動車大手のゼネラルモーターズ(GM)が一部の工場を閉鎖し労働者の首切りを強行している。――これに反発した全米自動車労組(UAW)が、閉鎖された工場の再開と賃上げを要求し、長期ストライキに突入している。

こうして製造業の景況悪化が進行しているにもかかわらず、トランプ政権はなおも対中貿易戦争を続けようとしている。十月十五日に予定していた、二五〇〇億ドル分の中国製品にたいする追加関税への五%上乗せ(税率三〇%に)は、訪米した中国副首相・劉鶴との会談での「一部妥協」によって中止した。とはいえ、二五%の追加関税じたいは継続しているのだ。まさにそれゆえに、アメリカ製造業の景況悪化をもたらしているトランプ政権の施策にたいして、

「ラストベルト」の白人労働者の内にも反発・不信がわだかまっているのである。

こうしたおのれの支持基盤の揺らぎへの焦りに駆られたからこそトランプは、その固め直しのためにも、日本の農畜産物市場の対米全面開放と日本からの自動車・部品輸入の抑制という要求（あくまでもアメリカ支配階級たる独占ブルジョアジーの利害を体したそれ）を貫徹するべく、〝属国〟日本の安倍政権に自動車への追加関税という脅しをかけつつ屈服させ、もってその「成果」を誇示しているわけなのだ。

だが、いまやトランプ政権は、対外諸施策の破綻のゆえに苦境にたたされ、大統領再選も危殆に瀕しつつある。反米国家イランにたいする経済制裁強化と軍事的威圧によって核開発断念を迫る策も、北朝鮮・金正恩政権との「非核化」交渉も、トランプが「ディール」と称する策動（〝隷従化戦略〟にもとづくそれ）はすべて破綻したり難航したりのありさまなのだ。とりわけイランが敢行したサウジアラビアの石油施設二ヵ所への攻撃（一九年九月十四日）によって、トランプ政権の対イラン政策は完全破綻に追いこまれている。

こうした状況のもとでアメリカ民主党が、トランプ再選を阻止することを狙って、トランプがウクライナ大統領ゼレンスキーに民主党の元副大統領バイデンとその次男の企業汚職への関与を捜査するように――軍事援助の停止をちらつかせつつ――圧力をかけたという疑惑を追及し、議会での弾劾審査・訴追の画策をめぐらしている。

いまや窮地に追いこまれているトランプは、再選に向けた支持基盤の固め直し・拡大のためにも、安倍政権に日本市場の全面的開放＝「包括的な自由貿易協定」の早期締結を迫るにちがいない。

〔米下院本会議は十二月十八日にトランプの弾劾訴追を可決。〕

日本農畜産業の切り捨てに走る安倍政権

日本の農畜産物市場の対米全面的開放を迫るトランプ政権の要求を丸ごと受け入れたのが安倍政権である。この政権は、アメリカとの貿易協定締結交渉開始（二〇一九年四月）にあたって日本製自動車・部品への関税をＴＰＰと同様にゼロにするように求めると触れこんでいた（ＴＰＰから離脱する以前の交渉ではオバマのアメリカ政府も自動車・部品の関税撤廃を認めていた）。ところが、自動車・部品への追加関税を課すというトランプの恫喝のまえに、そのような対米要求は直ちに引っこめたのだ。

トランプ政権がゴリ押しする農畜産物の市場開放要求を安倍政権が全的に受け入れる内実の今回の「最終合意」なるものも、実は五月末の日米首脳会談において安倍がトランプの恫喝に屈して交わした〝密約〟にもとづく。安倍政権は、この時点での基本合意を、七月参院選での農民・畜産業者の自民党離反＝票大幅減を恐れたがゆえに、トランプにも頼みこみつつ、ひたすらおし隠してきたのだ。アメリカ政府が日本政府に要求しているのはあくまでも「包括的な自由貿易協定」＝ＦＴＡであることが歴然としているにもかかわらず、わざわざ「物品貿易協定（ＴＡＧ）」などという用語を捏造しＦＴＡであることをおし隠す詐術をも弄しながら、である。こうした手口は、日米ＦＴＡの締結に反対する農漁民・労働者を欺くためのファシスト流大衆操作術にほかならない。

「アメリカ・ファースト」を標榜するトランプ政権の保護貿易主義をむきだしにした農畜産物市場全面開放要求、これを丸呑みにした安倍政権の所業は、日本の対米輸出の約四割を占める自動車・部品産業の諸独占体の利害をなんとか守るために、小規模・零細経営が大半の日本の農畜産業をアメリカ巨大農業資本の犠牲に供する反人民的犯罪なのである。いいかえればこれは、日本農畜産業の切り捨て、小規模・零細経営の農畜産業者の切り捨て＝棄民政策いがいのなにものでもない。このようなものとして、安倍政権が「成長戦略」なるものに謳う「農業の集約化」＝農業分野への独占諸資本の参入促進策と一体のものなのである。

関税の大幅引き下げにより低価格となるアメリカ産農畜産物の輸入が増大するのはまちがいない。価格競争では太刀打ちできない日本の小規模・零細経営の農畜産業者は甚大な打撃を受けざるをえないのであり、廃業に追いこまれかねないのだ。しかも安倍政権は、日米貿易協定とは別枠で、アメリカ産トウモロコシ（遺伝子組み換え食品だ）の大量輸入をトランプ政権に約束しており（八月）、日本農畜産業の切り捨てに拍車をかけようとしているのだ。

日本農畜産業への甚大な打撃など意に介さずに安倍政権がトランプ政権の傲岸な対日要求を受け入れるのは、根本的には、「社会主義」中国およびロシアとの対峙のもとで、アメリカ帝国主義に日米新軍事同盟の鎖で締めあげられアメリカ権力者の国家意志に隷従することを運命づけられているからにほかならない。イージス・アショアやF35などアメリカ製兵器のトランプ言い値での〝爆買い〟と同様に、アメリカの「属国」よろしく日本農畜産物市場の対米全面開放をうけいれたのが日本帝国主義の安倍政権なのである。

安倍政権の農畜産物市場の対米全面的開放を弾劾せよ！　日本農畜産業者の切り捨てを許すな！　日米ＦＴＡの締結反対！　日米安保条約の破棄をめざしてたたかおう！

農民・労働者に犠牲を強いる日米貿易協定

西　礼　次

安倍政権は、日米貿易協定(二〇一九年十月七日に日米両政府が正式署名)を承認する法案を十二月四日、参議院本会議において可決・成立させた。〝来年(二〇年)一月一日には貿易協定を発効させよ〟というトランプ政権の要求に応えるために安倍ネオ・ファシスト政権は、衆院と参院あわせてたった二十二時間の審議をもってこの承認法案の採決を強行したのだ。

二〇年秋の大統領選挙にむけてアメリカ農民層の支持を固めるためにトランプ政権が、「属国」日本の安倍政権にたいして、米国産農畜産物の輸入の大幅な拡大を要求し、これを貫徹すべく、輸入日本車に追加関税を課すと脅している。この強圧に屈した安倍政権は、約七二億ドル(約七八〇〇億円)分ともいわれる米国産農畜産物の日本市場流入を招く農畜産物市場の開放＝関税引き下げ・撤廃をトランプ政権に誓約したのだ。

日本の農畜産業に壊滅的な打撃を与え、それに従事する農民・労働者を貧窮のどん底にたたきこむ日米貿易協定の発効を許すな！　承認法案の成立を弾劾せよ！

農畜産物市場の対米開放を誓った安倍政権

安倍政権は、日米貿易協定の交渉（一九年九月二十五日に最終合意）において、米通商拡大法二三二条にもとづく「安全保障上の脅威」を盾にして日本車への追加関税＝制裁関税（最大二五％）を実施するというトランプ政権の恫喝に完全に屈した。アメリカが輸入日本車に課している関税を段階的に撤廃するという要求――前オバマ政権が合意しＴＰＰ（環太平洋連携協定）には明記されていたそれ――を早々にとり下げただけではない。アメリカ中西部農民層の支持を維持するために〝日本の農畜産物市場をアメリカに開放せよ〟と迫るトランプ政権の強圧を受けて安倍政権は、米国産農畜産物に課していた関税を撤廃もしくは大幅に引き下げることを約束させられたのだ。〔アメリカ通商代表部（ＵＳＴＲ）の試算によれば、米国産品の対日輸出増加額は七二億ドルにおよぶという。〕

農畜産物については、牛肉・豚肉・乳製品・小麦・ワインでＴＰＰと同水準までの大幅な関税引き下げが合意された（一二三頁の表参照）。しかも「米国産への関税下げはＴＰＰ参加国に劣後しないようにする」（前経済再生担当相・茂木敏充）と称して、ＴＰＰで合意されている初年度の段階の関税率ではなく現時点のＴＰＰ加盟国と同じ関税率を適用する。たとえばアメリカ産牛肉への関税は現行三八・五％であるが、一九年四月に引き下げられた発効二年目のＴＰＰと同水準の二六・六％の税率をただちに適用する。すでにＴＰＰ発効によって参加国のカナダ・ニュージーランドなどからの日本への一九年一月の牛肉輸入量は三万二八八五トンで対一八年同月比で五五％も増えている。黒毛和種などの「ブランド和牛」ではなく赤身が多いオスのホルスタイン牛を肉牛として販売している北海道内の酪農家は、赤身が多いアメリカ産牛肉が今より低価格で出回ることによって貴重な収入源を失う。さらに加えてチーズの輸入増にともなって主力の加工用乳価格が低下し、太刀打ちできない酪農家は廃業を余儀なくされる。

日米貿易協定の発効は、ＴＰＰ11（一八年十二月三十日発効）につづき、日欧ＥＰＡ（経済連携協定）が発効し（一九年二月一日）、すでに苦境にたたされている日本の農畜産農家や酪農家をさらなる危機にたたきこむことになるのだ。

農民層の支持の維持に狂奔するトランプ政権

いまトランプ政権は、二〇年十一月の大統領選挙にむけて、アメリカ農民層の支持を維持するために日米貿易協定の発効を急いでいる。通商分野での成果をアピールしたいトランプは、時間がかかる議会承認を省略できる大統領貿易促進権限（ＴＰＡ）法を活用することを策している（註1）。

いまトランプ政権は、みずからが仕掛けた対中国の貿易戦争＝制裁関税発動（第四弾を一九年九月一日発動）にたいする習近平政権の反撃――関税引き上げや農畜産物輸入の停止など――のゆえに、アメリカ農民層の不満・怒りを買っている。加えてトランプ政権が一方的に離脱（一七年一月）したＴＰＰがアメリカぬきで発効し、日欧ＥＰＡも発効するもとで、オーストラリア・ニュージーランド・カナダや欧州諸国に比べてアメリカの農畜産品の「競争力」が日本市場で低下し劣勢にある。

これらのゆえに、トランプを強力に支持してきた中西部の牧場主・農民がトランプ政権に反発し、支持基盤が揺らいでいるのだ。

トランプは、「コーンベルト」地帯であり大統領選で勝者が頻繁に入れ替わる「スイングステート」（揺れる州）と呼ばれるアイオワ・オハイオなどの州の農民票をなんとしてもとりこむことに躍起となっている。そのためにトウモロコシの大量購入（二七五万トン）と日本の農畜産品の関税撤廃・引き下げという〝貢ぎ物〟を差し出すことを安倍政権に約束させたのだ（一九年八月、日米首脳会談）。

国会承認を強行する安倍政権に怒りを叩きつけよ

いま日本の農畜産業に従事する農民・労働者は、ＴＰＰ11や日欧ＥＰＡなど自由貿易協定の相次ぐ発効によって、安い輸入農畜産物が流入し、深刻な危機にさらされている。さらに台風一九号などの巨大台風による甚大な被害（台風一九号、一五号による農林水産業の被害額は三一〇〇億円を超える）にさらされ、かつ政府の無対応によって蔓延した豚コレラ（この一年間で約一四万頭もの豚が殺処分された）に苦しめられている。

十月十八日、政府は日米貿易協定の発効による影響試算を発表した。これによると国内の農畜産物の生産額は、一一〇〇億～六〇〇億円ほど減少（TPP発効による減少分を加えても二〇〇〇億円減少）するという。だが、USTRが発表した約七八〇〇億円もの日本の農畜産物市場の開放の規模とこの日本政府の試算とは大きく乖離している。日本の労働者・農民の不満や反発を抑えこむことをねらって影響を小さくみせかけているのが安倍政権ではないか。

日米貿易協定で米国産品輸入増

	品目	合意内容
アメリカから輸入	牛肉	38.5%の関税を即座にTPP加盟国と同水準に引き下げ。2033年4月に9%に
	豚肉 	即座に関税をTPP加盟国と同水準に引き下げ。高価格帯の4.3%は2027年4月に撤廃
	ワイン	価格の15%または1㍑あたり125円の関税を段階的に引き下げ、2025年4月に撤廃
	バター・脱脂粉乳	TPP加盟国向けにつくった低関税枠を、米国向けに設定することを見送り
	小麦	15万ｔの輸入枠
	チーズ	ハード系の関税は撤廃
アメリカへ輸出	乗用車 	TPP合意では2.5%の関税を15年目から削減開始、25年目に撤廃となっていたが実質反故に
	自動車部品 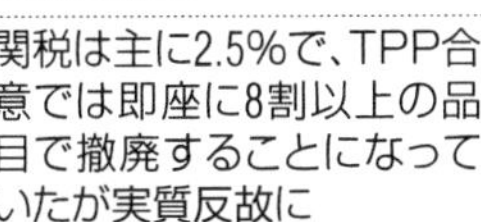	関税は主に2.5%で、TPP合意では即座に8割以上の品目で撤廃することになっていたが実質反故に

豚肉のソーセージなどに使う低価格帯は482円／kgの関税を9年目に50円／kgに引き下げ
小麦はＴＰＰ参加国のカナダ・オーストラリアからの無関税輸入枠をあわせると24万トン超

″TPP水準は守った″、″コメの輸入無関税枠を認めなかった″などと、日本農業にTPPが大きな打撃を与えていないかのような大嘘をふりまいているのが安倍政権だ。この政権は、TPPや日欧EPAによって「牛乳や乳製品の輸出は二割以上増加した」などと宣伝している。だが実際にはEUへの輸出増は〇・一％程度であって、まったくの誇大宣伝なのである。こうした欺瞞的な宣伝をふりまきながら、安倍政権は、「農畜産物輸出拡大」（所信表明演説）を掲げた。これは中小農家を淘汰することを大前提として、海外食品市場への参入拡大を企む食品・流通資本をあと押し(註2)するものなのだ(十月十一日に農林水産物・食品輸出促進法案を国会提出、十一月二十日成立、二〇二〇年四月施行)。

安倍政権は、首相・NSC(国家安全保障会議)主導でわずか半年間たらずで対米交渉をすすめ、交渉過程を隠蔽してきた。そして、「年内承認」を急かすトランプに応えるために、立法府たる国会にはわずかな審議時間で日米貿易協定を追認させたのである。十一月八日には衆議院外務委員会において、野党の交渉議事録提出要求を蹴っただけでなく、野党の退席後に強引に審議を強行した。まさにネオ・ファシズム的な手法を駆使して強権的に日米貿易協定の国会承認を押し通したのだ。

二〇年の大統領選での再選を至上命令とするトランプ政権は、国際政治場裏におけるアメリカの権威の失墜と孤立化、〝ウクライナ疑惑〟の発覚＝大統領弾劾決議の可能性の高まりに直面している。それゆえに、みずからの外交・通商交渉(ディール)の成果を示すために、唯一アメリカの従者としてかしずく日本の安倍政権から徹底的に搾り取ろうとしているのだ。首相・安倍晋三の〝対米従属〟ぶりを見てとっているトランプ政権は、日本市場の全面開放・「包括的な自由貿易協定(FTA)」を求めて、貿易協定の発効後、四ヵ月以内に金融・保険・投資・為替などのあらゆる分野の、さらなる交渉・協議を開始しようとしている。

この「日米FTA交渉」開始要求にたいして、日米軍事同盟の鎖で締めあげられている安倍政権は、唯々諾々と受けいれているだけではない。米国製兵器の爆買いに応じ、自衛隊の中東派遣をも、トランプ政権の求めに応じて強行しようとしている。

お為ごかしの「農畜産物輸出拡大」を掲げてあたかも〝日本農業の守り手〟であるかのように正当化する安倍政権を許すな！　米国製兵器の大量購入に続き米国産トウモロコシ購入というかたちで日本の労働者・人民の血税をトランプ政権に〝献上する〟安倍政権を弾劾しよう！　消費税税率一〇%への大増税弾劾！　日米貿易協定の国会承認弾劾！　早期

発効を許すな！

註1　一九年十月にアメリカはカナダ・メキシコとの新NAFTA（北米自由貿易協定）＝「米国・メキシコ・カナダ協定（USMCA）」を妥結したが、いまだ議会承認がえられていない。この事態を教訓化したトランプ政権は、日米貿易協定については議会承認を経なくとも発効させることのできる方策をとっているのだ。

ちなみに、この新NAFTA＝USMCAには、自国通貨を安く誘導する操作を禁じる「為替条項」、さらには「非市場経済国」〔中国のことだ〕とFTAを結んだ場合、残りの国が新NAFTAを破棄できる条項が盛りこまれている。USTR代表のライトハイザーは、この新協定が「将来の通商協定のひな形となる」と述べているのだ。

註2　「農畜産品や加工食品の輸出拡大をめざす事業者を支援するための新たな法整備」として、輸出相手国ごとに異なる安全基準に対応する設備などの導入を図る事業者が資金を日本政策金融公庫から低利で借りられるようにすることなどが盛りこまれる。たとえば、欧米向けの牛肉輸出なら、加工施設が衛生管理の国際基準「HACCP（ハサップ）」の認定を受ける必要がある。イスラム圏への輸出には「ハラル」認証が求められる。「認証や認定がないために輸出できない」と現状への不満をつのらす食品・流通資本など諸独占体の要求に応えたものなのだ。

補　不要品でも引き受ける「属国」首相

二〇一九年八月二十五日、フランス・ビアリッツでのG7サミットの合間におこなわれた日米首脳会談において、安倍はトランプにアメリカ産トウモロコシの大量購入を押しこまれた。この会談後の記者会見において、大量のトウモロコシの対日輸出を成果として誇るトランプの傍らで安倍は、「害虫対策の観点から購入が必要だ。民間レベルでの取り引きだが、前倒しして緊急なかたちで購入しなければならないと民間も判断している」と応えた。

安倍政権は、七月いこう十一県で確認されているツマジロクサヨトウという蛾の幼虫による食害によって「日本で飼料用トウモロコシの供給が不足する可能性がある」と称して、トランプの法外な要求を丸呑みしたことを正当化している。実に年間輸入量（約一一〇〇万トン）の三ヵ月分にあたる二七五万トンものアメリカ産トウモロコシを民間企業が前倒しで購入し、その購入費用を政府が補助金によって支援すると表明した。

しかし、現在のところ害虫による大きな被害はなく、農薬散布で防除できている。しかも国内飼料用では発酵粗飼料（サイレージ）の原料として利用する青刈りトウモロコシが主流であって、アメリカ産の粒トウモロコシは主に濃厚飼料の原料として輸入されるのであるから、なんら代替にはならない。まさに日本の農業関係者にとっては不要品以外のなにものでもないのだ。安倍政権は、トランプ政権の「属国」よろしく〝余り物〟を積極的に引き受けてみせたということなのだ。

安倍政権は、トランプへの誓約にもとづき、農林水産省が三二億円の補助金を用意する仕組みをつくった。募集開始した九月から三ヵ月後の十二月中旬になってようやく事業者からの補助金申請がされたという。けれども具体的な購入量も申請件数も明らかにしていない。

（二〇一九年十二月二十五日、加筆・修正）

エタノール生産抑制で余ったトウモロコシを押し売り

G7サミット（フランス・ビアリッツ）の合間に、予定になかった日米首脳の「共同発表」が突如おこなわれた（二〇一九年八月二十五日）。米大統領トランプは、記者団を前に「今、アメリカには大量のトウモロコシが余っている。この場で安倍総理がそれを購入すると言ってくれると農家は喜ぶ」と首相・安倍晋三に迫った。安倍は「日本ではトウモロコシに害虫被害が出ている」ことをあげ、民間レベルで購入する「判断」だと応じ、隷従ぶりをさらけだした。

購入するのは、飼料用トウモロコ

シ約二七五万トン。日本の年間輸入量の三ヵ月分・六〇〇億円にのぼる。おりから交渉中であった日米貿易協定（最終的には一九年十月七日に締結）とはまったく別枠でなされたこの〝サプライズ交渉〟には、アメリカ中西部の「コーンベルト」では歓迎の声があがったという。

二〇年の大統領選で再選を果たすことに躍起となっているトランプが、支持基盤たるコーンベルトの農民層の離反を防ぎとめ固めなおすために、〝対米隷従〟を性根とする安倍に過剰となっているトウモロコシの〝爆買い〟を強制し貫徹した――これが実相。トウモロコシなどの農産物が過剰となっているのは、トランプが仕掛けた中国との貿易戦争によって対中国輸出が大幅に落ちこんだことが主因であるが、もうひとつの要因があるのだ。

日本ではトウモロコシといえば、食料か飼料をイメージするが、アメリカでは国内消費量の実に四割強がバイオエタノールの生産に回される。化石燃料による二酸化炭素排出量を減らすために、燃料にエタノールを混合させるという「環境保護」政策がオバマ政権のときにとられてきた。ところがトランプは、この混合方式は「コストがかさみ燃料効率が落ちる」という自動車業界や石油業界からの突き上げを受けて、「例外措置」として混合比率の引き下げを次々と認めてきているのだ。トランプ政権・環境保護庁は、新たに三十一の精油所でのエタノール混合率引き下げを決定している（八月九日）。

混合比率の引き下げはトウモロコシ需要の激減に直結する。農家やエタノール生産の企業にとっては死活問題。一九年は豊作で過剰生産となっているうえに需要が急減するとの見通しが重なって、トウモロコシの価格が下がっている。

トウモロコシとエタノールの生産量が全米第一位のアイオワ州の「アイオワ再生可能燃料協会」は、「有権者への約束を破った」とトランプを名指しで非難する声明を出した。アイオワ州は大統領選挙の〝スイング・ステイト〟。前回の選挙ではトランプ支持だったが、その前は民主党が勝っている。環境破壊・地球温暖化など屁とも思わないみずからの政策転換が招いた、支持基盤からの〝反乱〟だ。慌てふためいたトランプは、この窮地をのりきるために、「属国」にトウモロコシ大量購入を無理矢理に押しつけた。忠犬・安倍は余ったトウモロコシの購入という尻ぬぐいまでさせられたというわけだ。

東電福島第一原発2号機
核燃料デブリ取り出し計画の反人民性

栗本誠也

「廃炉のための技術戦略プラン2019」の決定

政府の専門機関である原子力損害賠償・廃炉等支援機構（以下「機構」と略）が、東京電力福島第一原発の「廃炉のための技術戦略プラン2019」を発表した（二〇一九年八月八日に記者会見、九月九日に正式公表）。そこにおいて機構は、①二〇二一年から予定している「核燃料デブリの取り出し」を「2号機から開始する」、②「格納容器横からの気中工法」は「安全性・確実性・迅速性」がある、と宣言した。核燃料デブリを「冠水」せず気中にさらしたまま原子炉から取り出すという「気中工法」（註）、これを中軸とする「デブリ取り出し計画」の提示をうけて政府は、近日中に「中長期廃炉ロードマップ」を再び改定するという。

「核燃料デブリの取り出し」こそ廃炉工程の最大の重要工程である、とされてきた。こんかい「デブリ取り出し計画」なるものが公表されたのだが、しかしデブリを掘削して取り出す機械・装置が完成にはほど遠いだけでなく、そもそも取り出す対象物たるデブリがいかなる形状・性質で残存しているのかもいまだ不明なのである。明らかに機構じしんもその実現可能性を信じていないのだ。あたかも廃炉工程が進んでいるかのように国内外におしだすために安倍政権がつくらせたのが、この「計画」にほかならない。

二〇二〇年の東京オリンピック・パラリンピックを直前にした現在、安倍政権にとって廃炉工程の進捗の遅れは日本国家の政治的威信の失墜になりかねない。この政権にとって「史上最悪の原発事故」を起こした東京電力福島第一原発と被災地福島は〝復興の象徴〟でなければならないからである。首相・安倍晋三は、一九年四月十四日に福島第一原発を視察し、視察用高台の上で防護服を六分間だけ脱ぎすて「防護服に身を固めることなくスーツ姿で見られるようになった。着実に廃炉作業も進んでいる」などと芝居をぶった。これこそ「復興オリパラ」むけの政治的パフォーマンスでなくしていったい何であろうか。人民をたぶらかすために遂行されようとしているこの展望なき「取り出し作業」こそ、原発労働者や被災地住民ばかりか世界の労働者階級を再び過酷事故の恐怖にさらすものである。断じて許してはならない！

デッチ上げられた「気中工法」

機構はいう。〝2号機は格納容器の内部状況が調査でもっとも判明しているし、格納容器の側面には直径六〇センチメートルの「貫通孔＝穴」が開いている。〟――東電が穴を拡大したのだ！　ロボットを入れるルートが確保されているので「デブリ取り出し」の「迅速性」がある。また2号機は建屋内の「穴」の周辺の空間放射線量は比較的低く「作業場所が確保しやすい」ばかりか、鉄製の足場が喪失している部分から装置を投入して底部のデブリに近づくことが可能だ、と。かくして2号機は他の号機に比べて「安全を確保しつつ確実に迅速に取り出しができる」と判断した、と。

しかも「取り出しを進めながら情報を集め柔軟に

方向性を調整する」といった「ステップ・バイ・ステップのアプローチ」で実施する、と機構はいう。これこそ、こんかい提示した「計画」がおよそ実現不可能であるにもかかわらず、それを隠蔽しごまかすための方便にほかならない。

「ステップ・バイ・ステップのアプローチ」の欺瞞

2号機の圧力容器内には、今も大量の核燃料が残されている。そのことは宇宙線ミューオンによる透視によって判明している。八年半前のメルトダウン時、圧力容器内を減圧し消防の注水を試みたが失敗した。炉内温度や圧力が激しく変動し、無残にも炉心は中央部から溶融していった。その結果、大量の燃料集合体が溶融し、大半は圧力容器内に残留したが一部は格納容器内に拡散、あちこちに付着しているのである。

過去の2号機調査において、ロボットアームが核燃料デブリと思われる「岩盤状の物質」に触れた、とされている。だが、その「物質」の形状も性質も拡散状態も何一つ判明しなかった。

この固化した物質は、炉心溶融し圧力容器の底を抜けた核燃料が、格納容器の底を這いながらコンクリートを溶かした多品種の異様な性質をもつ〝未知〟の「物質」である。しかも原子炉内には核分裂反応や化学反応により発生した生成物が高温によっていったん気体となり全方位的に広範囲に拡散し付着している。これまた〝未知〟の「物質」である。

このように、取り出す対象であるデブリの形状も性質も、そして位置さえも不明なのである。それにもかかわらず機構は「デブリ取り出し」の方法だけは決めたと強弁している。これがまったくマヤカシであることは明らかではないか。彼らのいう「ステップ・バイ・ステップ」とは、要するに、〝やってみて・すぐに駄目だとわかるだろうから、いつでもやめます〟ということの言い換えなのである。

作業場所も危険極まりない。この格納容器の壁と床は、かの大地震や津波そしてメルトダウンにより激しく損傷し亀裂もあり、崩壊寸前の状態だ。再び大地震が襲来するならば、ひとたまりもない。しかも格納容器は「五つの壁」のなかでも放射能の外部漏洩を防ぐための最大の遮蔽構造物であった。にもかかわらずこの壁に「大きな穴」を開けてしまったのだ。すでに六〇センチメートル（最初は二〇センチメートルから）に拡大した。言語道断である。さらに、取り出したデブリを「空冷で一時保管」したあとの最終的な処分方法は決まっていない。これはデブリの拡散による「リスク拡大」を招く以外の何ものでもない。

そもそもデブリを水に浸すことなく気中にさらしたまま掘削したり移動したりすることは、放射線を遮蔽せず放射性物質の粉塵の飛散を封じることもしないで作業するということではないか。機構は最も危険な工法とされてきた「横からの気中取り出し工法」を採用したのだ。

そしてやがては「段階的に取り出し規模を拡大する」つまり、開口部を拡大して大型の装置を格納容器内部に投入して底部のデブリ取り出しを計画するという。しかし取り出し作業用ロボットの開発も手探り状態だ。投入したロボットアームのＩＣ集積回路に使われるシリコンは毎時数十グレイの高放射線にはすぐ劣化し、完全に遮蔽しても〝誤作動〟は免れないという。

故障したロボットの回収・清掃・修理や、硬質の燃料デブリを掘削するドリル刃の交換作業は、いったい誰が担うというのか。耐震能力が限界であり崩壊寸前の原子炉建屋で、燃料デブリ由来の「放射性ダスト」の舞いあがる中で〝決死隊〟となるのは原発労働者ではないか。

推定される燃料デブリの位置

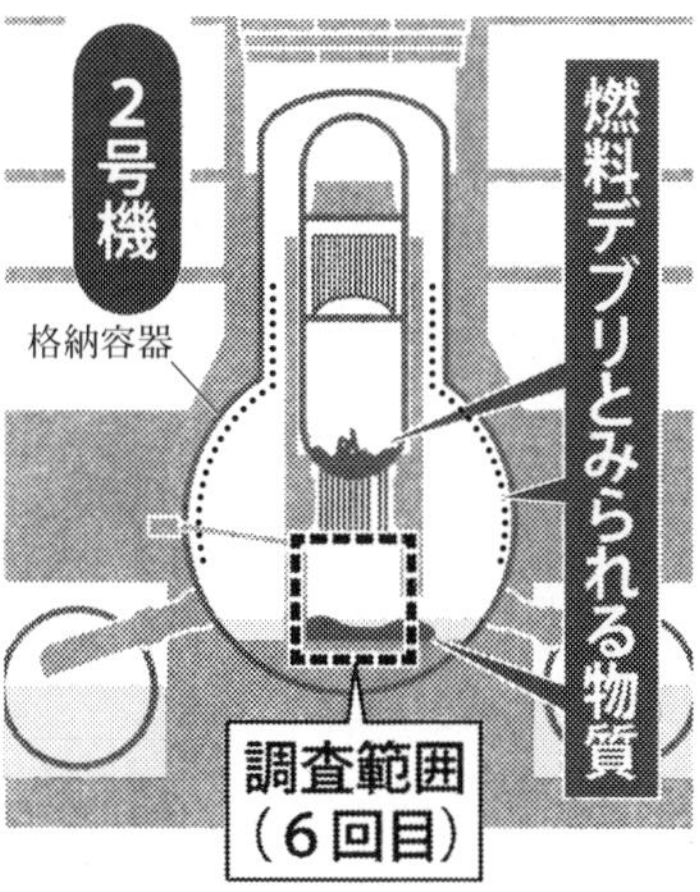

溶けた燃料は圧力容器内とその直下に存在し、格納容器内壁にも広く付着していることが放射線量の高さから推定されている。

高まる「再臨界」の危険性

この「気中工法」は〝再臨界の危険性〟が一段と

高まる工法でもある。機構は一貫してこの核心問題に触れない。

取り出し作業において「核燃料の配置や形状が変化するようなこと」があった場合には、「再臨界」が発生する可能性が存在するのである。この「取り出し」作業は、プルトニウムを大量に含んでいる核燃料およびデブリを、ロボットを使って遠隔操作し「臨界質量(五一〇グラム)」に達しないように少しずつ削りとるのであり、もし、その質量を少しでも超えるならば直ちに「再臨界」にいたってしまうからだ。いま現在は周辺物質が中性子を吸収しているので「再臨界」にいたっていないだけなのである。

それればかりか「2号機内に原型のまま残る燃料集合体」はさらに「再臨界」の危険性を最も孕んでいるのである。「取り出し」時に「形状」が変わり臨界質量を超える可能性が極めて高いのである。2号機の場合はこの存在こそがまさに「再臨界」の〝危険源〟なのだ。

機構は「リスク低減のため」などと綺麗ごとを並べている。しかし、核燃料デブリの「建屋内での保存」とのリスクの相違の定量的な評価すら実施していない。原発推進の御用学者がもちだす「確率論的リスク評価」による「被曝リスク」の証明さえなされていない。かかる状況下で被曝の危険を負わされて動員されるのは原発労働者だ。こんなことが許せるか！

そもそも日本原子力学会の福島第一廃炉検討委員会委員長・宮野広ですらも「デブリの実態を把握するのが先だ。取り出す時期や方法を急いで進める必要はない。工程ありきで進めてはいけない」「慌てる必要はない」と苦言を呈している。安倍政権は「取り出し工法」をめぐる御用学者からの慎重意見をも封じつつ、あたかも計画が可能であるかのように装いつつ、「核燃料デブリ取り出し工程」に突入せんとしているのである。

「廃炉工程」の頓挫を隠蔽する安倍政権

八年半前のかの原発事故により「五重の壁」が崩壊したなかで、「核燃料デブリ取り出し作業」を遂行するに際して「水」は遮蔽体としてまた高線量の粉塵を封じこめるためにも必要不可欠とされたのであった。しかし格納容器の上部まで「冠水」させるのは、2号機の場合、格納容器の下部に位置する圧力抑制室が水素爆発により損傷して穴があき、その部位の修理技術も皆無であることからして不可能とされた。いやそもそも、格納容器はその設計上、「冠水」による重量増への耐久性を備えてはいないのだ。アメリカ権力者に伝授されたこの「冠水工法」の破綻こそ、「核燃料デブリ取り出し計画」の絶体絶命の危機であり、廃炉工程の頓挫という意味をもつのである。この廃炉工程の破綻を隠蔽しのりきるために機構は、安倍政権の意向を受けて「横からの気中工法」という最も危険な工法をデッチ上げたのである。

　この「気中工法」は、「気中で取り出すなんて原子炉工学を少しでもかじった人なら考えない」(前原子力規制委員会委員長・田中俊一)というこれまでの一応の公式見解や、また原子力学会の「冠水させた状態で取り出す方法が、作業被曝低減の観点から最も確実な方法」という見解をもひっくりかえすものである。まさに今回の安倍政権と機構による「気中工法」の強行決定こそ、国家的政治的目的の貫徹のための無謀極まりない・原発労働者を虫けらのように扱う反人民的所業なのである。

　「情報を十分に集めたうえでいくつかのシナリオを示してリスクやコストを議論して地元や国民との合意形成を図る必要がある」と原子力学会廃炉検討委員会委員長・宮野は言う。住民の反対のまえにいったんはひっこめた「石棺工法」を、すなわちチェルノブイリ式の長期隔離方針を再び模索しているのだろうか。拙速な「取り出し」によって「準安定状態が変化し」短期的にリスクが上昇し費用コストも膨大化することに危機感を吐露するのはそのためであろう。

　安倍政権は、「凍土遮水壁」によってもコントロール不能となっている地下水の遮水構造の再構築もせずにトリチウム汚染水の海洋放出を企み、不安定な軟弱地盤の耐震構造も再構築せずに、「核燃料取り出し」のパフォーマンスに興じている。これは福島第一原発により深刻な危機を招き寄せるものにほかならない。怒！

註　かつて政府・東電が採用しようとしたデブリ回収方法は、原子炉内を水で満たして上部から取り出すという方式――「水棺方式」とか「冠水方式」とかと呼ばれた――であった。『新世紀』第二六五号一五七頁を参照されたい。

女川原発2号機再稼働を許すな

女川原子力発電所が所在する宮城県牡鹿半島は、今後三十年以内にM（マグニチュード）7級の大地震にみまわれる確率が九〇％とされる。東北電力経営陣と安倍政権による危険極まりない女川原発2号機の再稼働を断じて許すな。

規制委は、東北電力経営陣が想定する基準地震動の最大値を五八〇ガルから一〇〇〇ガルに引き上げて「安全対策」をとったことや、基準津波を一三・六メートルから二三・一メートルに引き上げて海面

規制委による「審査書案」了承弾劾！

二〇一九年十一月二十七日、原子力規制委員会は、東北電力女川原発2号機（出力八二・五万キロワット）について、新規制基準に適合しているとの「審査書案」を了承した。3・11東日本大地震・大津波によって被災しボロボロになったこの原発の再稼働を承認したのだ。

から二九メートルの防潮堤を設置したことなどを評価したとしている。

だが、こうした「安全対策」は気休めにすぎない。東日本大地震の震源域の最も近くに位置している女川原発は、震度六弱の激震にみまわれて甚大な打撃をこうむっているのだからである。

東日本大地震発生時に女川原発は、1、3号機が運転中であり、2号機は定期検査を終えて起動した直後（未臨界）であった。三基とも自動停止したのであるが、外部電源五系統のうち四系統が送電鉄塔の倒壊などによって失われ、かろうじて一系統のみが維持された。津波は一三メートルに達したが敷地の高さが一四・八メートルであったので直撃はまぬがれた。とはいえ、この地震で地盤が一メートル沈下し海水がうちあげて重油タンクが倒れ重油が流出した。

1号機では地震の揺れによるショートが原因とみられる火災が発生し再循環ポンプなどが使用不能になった。2号機では海水ポンプの取水口から海水が原子炉建屋に流れこみ、非常用ディーゼル発電機三台のうち二台が停止した。3号機でも海水が海水系ポンプエリアに流れこみ冷却用ポンプが停止して通常の冷却ができなくなり、運転員が手動でＲＣＩＣ（原子炉隔離時冷却系）を起動した。

このように女川原発は、メルトダウン寸前となりながらも、運転員の必死の対処と好運（全外部電源が失われた福島第一原発と異なり外部電源が一系統維持されたことなど）が重なって、大惨事をまぬがれたのであった。とはいえ、原発施設総体が甚大な被害を受けたのだ。原子炉建屋の壁には一一三〇ヵ所ものヒビが入った。配管や格納容器の構造物にも目に見えない亀裂やゆがみが生じているのは歴然としている。ボロの継ぎ当てのような「安全対策」が施されようとも原発の耐震性の低下はまぬがれない。

海抜29メートル、総延長800メートルの新防潮堤を建設中の女川原発２号機（2019年２月）

東日本大地震程度の激震に再度みまわれたならば、今度こそ大惨事が起きかねないのである。

にもかかわらず東北電力経営陣は、三四〇〇億円もの巨費を投入して女川2号機の再稼働に突きすすんでいる。2号機の建設費が三二五六億円であったことからして、すでに建設費を超える額を投入している。今後に予定している「テロ対策施設」（特定重大事故等対処施設）の建設費を加えれば四〇〇〇億円を超える巨費となる。これらの費用はすべて労働者・人民から徴収する電気料金に上のせされるのだ。そして、関西電力の原発マネー還流事件が示したのと同様の、政・財・官の黒い癒着構造が女川原発の「安全対策工事」推進の背後に存在するにちがいないのである。

安倍政権の原発・核開発反対

この東北電力経営陣をバックアップし尻を叩いているのが安倍政権にほかならない。三〇年度の電源構成に占める原発の比率を「二〇〜二二％」とするというエネルギー政策をとっているこの政権は、原発の再稼働が遅々として進まないことに焦っている。この目標を達成するためには三十基程度の原発が稼働することが必要であるにもかかわらず、現在までに再稼働できたのは九基にとどまっているからだ。とりわけ福島第一原発と同型のBWR（沸騰水型炉）は一基も稼働していない。東電柏崎刈羽原発6、7号機と日本原電東海第二原発（これも東日本大地震被災原発だ）の三基が規制委の審査で「適合」の評価を得ているけれども、地元自治体から再稼働の同意をとりつけられていない。そこで、この女川2号機をBWR再稼働の第一号にしようと目論んでいるのだ。

安倍政権は、「エネルギー安全保障」と潜在的核兵器製造能力の維持・向上のために原発・核開発をおしすすめるという国家戦略にもとづき、事故処理の明確な展望もうちだせないほどの福島第一原発の核惨事を隠蔽しながら、原発再稼働に突進しているのである。

〝第二のフクシマ核惨事〟をもたらしかねない女川原発2号機の再稼働を阻止せよ！ すべての原発・核燃料サイクル施設を即時停止し・廃棄せよ！

原発「共同事業化」にのりだす政府・電力独占体

道法寺卓

原発専業二社への統合計画策定を急ぐ安倍政権

二〇一九年八月二十八日、東京電力、中部電力と日立製作所、東芝の四社が、「原子力発電事業（沸騰水型炉）にかかわる共同事業化を検討する」ことに合意した。東電福島第一原発と同型の沸騰水型炉（BWR）原発を保有する電力会社と、原発プラントメーカーとが「BWR事業を将来にわたって運営し、原発の建設と運転につなげる」ために「人材・技術・サプライチェーンの維持・発展に向けたサスティナブル〔持続可能〕な事業の構築」について検討をはじめるとされている。

福島原発事故いこう、わがたたかう労働者・学生を先頭とする原発再稼働阻止の闘いが燃えひろがり、BWR原発は一基も稼働していない。四社の原発事業は〝持続不可能〟の危機に直面しているのだ。これをのりきるために、原発事業を「共同事業化」し、もって徹底した効率化・コスト削減をはかろうというわけである。

その矢先、関西電力の社長、会長をはじめ経営陣のトップ二十人が、原発工事業者の顧問におさまる福井県高浜町の元助役から三億二〇〇〇万円相当の金品を受けとっていたとされるスキャンダルがあかるみにだされた（九月二十七日）。関電幹部と自治体当局者や業者（そしてさらには自民党など）が巨額の原発マネーにむらがり法外な利益をほしいままにしてきた、その一端が暴露されたのだ。東電や中電などはまったく無関係を装っているとはいえ、それぞれの電力独占体が原発マネーにまみれ利権構造をかかえていることはまちがいないのだ。断じて許すな！

　四社は「共同事業化」に合意したとはいえ、その具体化のプランについては何も決定していない。「原発の建設・運営・保守・廃炉をより安全かつ効率的に実施する体制の構築」にかんしてこれから「検討を開始する」ことが合意されているだけである。一年前に四社は「共同事業化」にかんする「覚え書き」をとりかわしているが、計画は遅々として進まなかった。

　日立、東芝のメーカー側は、これまで経験のない原発の運転・管理にまで手を出せば、事故の際に巨額の賠償や事故処理費用を負担させられかねない、と尻込みしている。また、中電や日立・東芝は福島原発事故の莫大な廃炉費用の一端を東電から負わされるリスクを警戒している。そのうえ、福島事故によってBWRの「安全神話」は砕け散っているにもかかわらず、東芝と日立は「原子力では東芝が上」「いや業績は日立」などと反目しあっているという。

　このようななかで、経済産業省は四社にたいして圧力をかけ、ようやく「共同事業化」の「検討開始」のテーブルにつかせたのである。原発・核開発を将来にわたって継続しつづけようとしている安倍政権は、電力十社と電機独占体の原発関連部門を統合しBWRとPWR（加圧水型炉）をそれぞれ手がける原発専業会社二社に統合する計画をもねりあげている。彼らは四社合意をその突破口として位置づけているのだ。

経営危機にあえぐ電力各社

「共同事業化」に最も積極的なのが事実上国有化

され経産省の管理のもとにある東電である。東電は福島第一原発の事故処理のための費用総額二二兆円のうち一六兆円を負担することになっている(註)。しかも彼らは事故処理・廃炉作業の深刻な人手不足に直面している。そこで彼らは、他の電力会社の原発保守・管理部門や、廃炉ビジネスで稼ごうとしている原発メーカーの人員を「有効活用」することによってのりきろうとしているのだ。

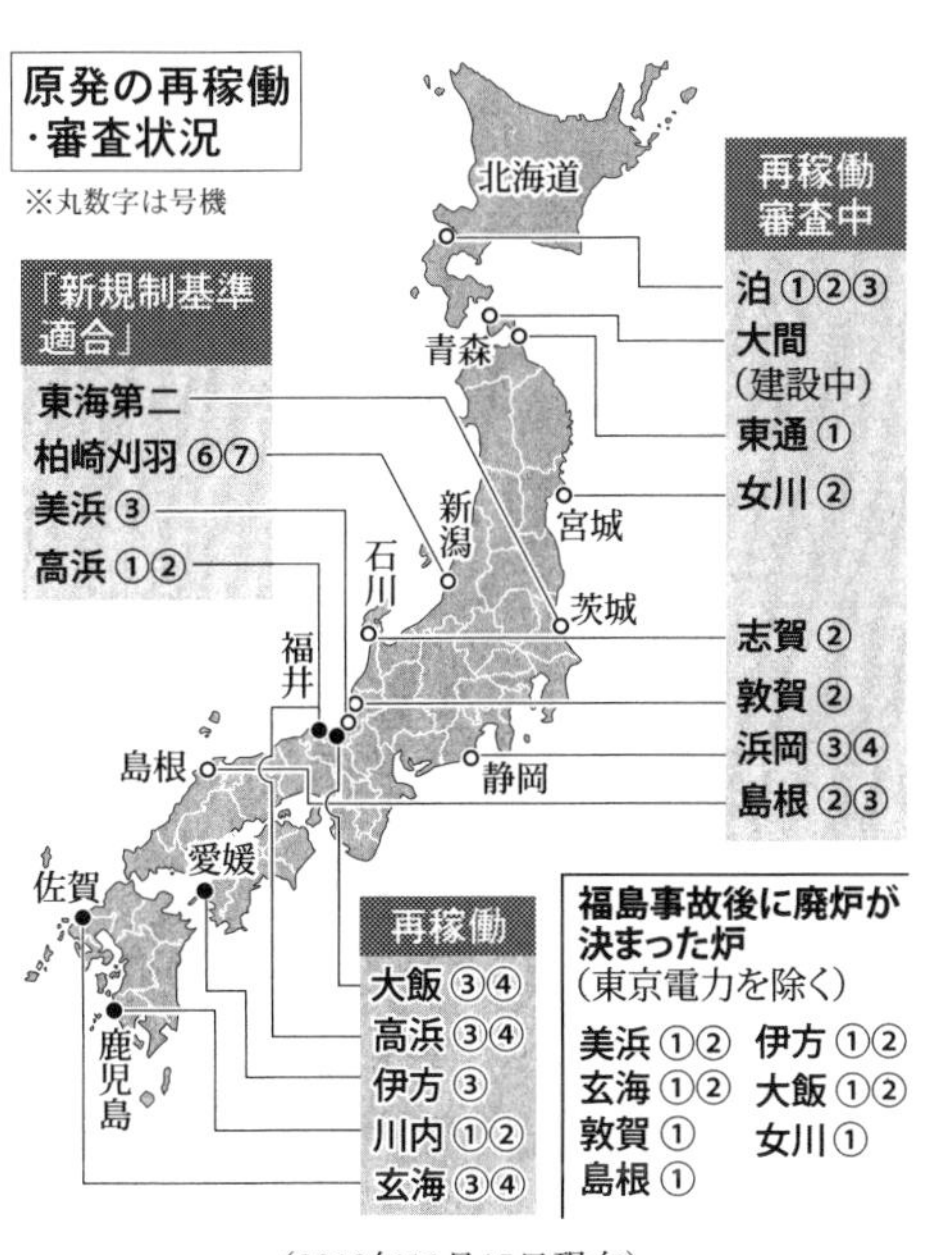

(2019年11月15日現在)

　同時に、一〇〇万キロワット級原発一基を一年間稼働させれば一〇〇〇億円の増収になると見こんでいる東電は、柏崎刈羽原発を再稼働させることを企んでいる。だが、福島事故いこう、「安全対策」費用はふくれあがる一方である。(柏崎刈羽原発の再稼働のための費用は、当初見積もりの二倍、約一兆二〇〇〇億円にもなっている。)さらに、中断している東通原発(青森県)の建設を再開しようとしている。これらを四社の共同事業とすることによって、巨額の費用を少しでも軽減しようとしているのだ。

　ところで、「東電から主導権を奪うくらいの熱心さと突破力をもって原発再編劇を前進させる」と息巻いているのが中電一部経営者である。南海トラフ地震発生の可能性が切迫し「最も危険な原発」と悪名を馳せている浜岡原発(静岡県)を保有する中電は、3、4号機再稼働の目途がまったくたっていないことに焦りをつのらせている。「安全対策」費用に累計約四〇〇〇億円を投じるだけではなく、この「不稼働原発」の維持・管理のために一〇〇〇人の社員を配置し年間一〇〇〇億円を支出している。社内からも「費用のたれ流し」、「経営基盤を悪化させている元凶」と不満が噴きあがっている。彼らはこの窮状をのりきるために原発事業の「共同事業化」にかけるしかないのである。

いま電力各社は、一六年に電力小売りが全面自由化され、新電力の参入によって激しい価格競争にさらされている。再生可能エネルギーによる発電効率も一段と向上しているなかで、たとえ政府・経産省が手厚い〝原発優遇策〟（発電コストの電気料金への転嫁、廃炉費用への税金投入肩代わりなど）を施しても「原発の発電コストは安価」という神話は完全に崩壊している。電力各社の経営者どものなかには「原発ビジネスは経済合理性に合わない」「一社では無理だ」、原発を進めたいなら不採算部門とみなした原発部門をきりはなし政府が責任をもって再編・統合すればよい、という声も高まっているのである。

東電が再稼働を策す柏崎刈羽原発

崩れる技術的基盤

「受注がなければ技術や人材を継承できない」と、危機感を露出させているのが日立などの原発メーカー幹部である。「（原発の製造・建設にかんしては）余った人員を他の事業に回したり、受注してから急に増やしたりできない」というのである。とりわけ安倍政権に尻を叩かれて日立や三菱がおしすすめてきた英国、トルコ、ベトナムなどへの原発輸出計画が軒並み頓挫するなかで、彼らは危機感を倍加しているのだ。

原発建設プロジェクトを経験したことのある若手作業員は一割強にすぎない（日立、東芝、三菱三社による一五年度調べ）。ある原発関連企業の作業班長クラスでは、保守点検の経験者は三割以下に減っているという。大学には「原子炉物理学や原子炉工学の専門家がほとんどいない」といわれるほどに教える教員がいない。

また、原発三大メーカー(日立・東芝・三菱)にとって「サプライチェーンの維持」は喫緊の課題となっている。この三社は、原発プラントを構成する特殊な部品、特殊ステンレス鋼板の加工・成型、精密鋳造品などの生産の多くを下請企業に発注してきた。だが、発注が途切れ製造ラインを維持できなくなった下請企業が続出し、原発事業から撤退しているのだ。

原発・核開発を阻止せよ!

それにしても、この「合意書」では福島事故について一言も触れていないではないか! 「世界有数のBWR製造・エンジニアリング能力をもつメーカー」と「長年にわたって原発を運営・保全してきた知見・経験をもつ電力会社」の「技術・知見を持ち寄る」などと、いけしゃあしゃあとのたまっているのだ。

数多の労働者・人民を放射能禍に突き落とし、いまだに事故処理・廃炉の展望さえも見いだせていない。にもかかわらず、この世紀の核惨事をひきおこした張本人どもが、BWR原発の建設・運転を「将来にわたって」継続させようということじたいが許されないではないか!

安倍政権は、「原発はもはや民間企業としての経済的合理性に欠ける」と悲鳴をあげる電力資本や原発メーカー独占体の尻を叩きながら、原発事業の「共同事業化」を促進しようとしている。

原発再稼働阻止! 原発・核開発反対の闘いをおしすすめよう!

註　ちなみに、これじしん政府・東電によって極めて低く算出されたものである。「二二兆円で足りるはずがない」というのが、「業界関係者の一致した見解」といわれているほどである。日本経済研究センターは、独自試算の結果を総額「五〇〜七〇兆円」と発表している。

一九七二年四―六月
動力車労組の反戦順法闘争

一九七二年五月十五日、沖縄の施政権がアメリカから日本帝国主義国家権力の手に返還された。その本質は、沖縄の「核基地つき・自由使用」返還にほかならず、日米軍事同盟を飛躍的に強化する攻撃と表裏一体のものであった。この沖縄施政権返還を中心とする政府・支配階級の反動諸攻撃にたいしてわが同盟は、日本階級闘争の左翼的転換をもめざして労学両戦線で総力をあげて連続的にたたかいぬき、反戦・反安保＝沖縄闘争の戦闘的高揚を実現したのであった。

時あたかもアメリカ帝国主義のベトナム侵略、なかんずく、北爆はいっそう狂暴に拡大されていた。それはアメリカ帝国主義の北ベトナムと南ベトナム解放民族戦線にたいする軍事的・政治的劣勢・敗北局面の深化の反面でもあった。アメリカ帝国主義権力者は、アジアの盟主たらんとしていた日本帝国主義への沖縄の施政権の返還をテコにして、日本との「共同作戦範囲」を飛躍的に拡大し、同時に米軍のベトナム侵略への軍事的・経済的協力関係の一層の強化を要請していた。とりわけ在沖縄米軍基地機能の再編がドラスティックに進められ、本土(当時)においても、安保条約を法的根拠とした、アメリカのベトナム侵略にたいする日本政府の協力・加担はますます露骨におこなわれた。首都圏では神奈川県の米軍

1972年5・15沖縄返還阻止闘争に決起した動労青年部1000名の部隊

相模補給廠における米軍戦車などの修理・整備、搬出がおこなわれ、また横田、立川その他の米空軍基地で使用するジェット燃料、石油（ガソリン）などの川崎臨海地区から各基地への列車輸送が強行されていた。この米タン（米軍用石油タンク車）輸送は、六七年に新宿駅構内で衝突・炎上事故を起こし、わが戦闘的労学の抗議の闘いをつうじてその危険性と犯罪性は全社会的に弾劾されていたにもかかわらず（本誌第二九八号掲載の本シリーズを参照）、社会党・共産党の既成指導部のもとでの反対運動総体の弱さに規定されて、その後も都心を迂回し南武線を経由する、というかたちで政府・国鉄当局によって運行されつづけていたのである。まさにこのような情勢のもとで、〈ジェット燃料の輸送阻止！〉を掲げて国鉄労働者は決起したのだ。

社共の歪曲に抗して沖縄の核基地つき返還反対に決起

社共既成指導部は、施政権返還と一体のものとしてかけられている日米軍事同盟の強化やこれにもとづくベトナム侵略戦争への協力・加担の拡大という攻撃とは切りはなして、「沖縄の施政権返還」それ自体はよいものとして肯定していた。わが同盟とその指導下にある労働者・学生は「核基地つき・自由使用」でしかない施政権返還のもつ階級的本質を暴きだして反対運動を戦闘的に創りだすために奮闘した。

国鉄戦線においては、社共や総評中央が「返還歓迎」のムードに抗しえないなかで、五月十五日当日、国鉄動力車労働組合は「沖縄の核基地つき施政権返還粉砕・ベトナム戦争反対」という労働戦線においてはかつてない質をもった左翼的な反戦―沖縄闘争のスローガンを公然と掲げて順法闘争をたたかいぬいたのである。

動労の労働者たちは、列車、電車の胴体に水にといた石灰で「アメリカのベトナム侵略反対！　ジェット燃料輸送阻止！」とか「沖縄のブルジョア的返還反対！」といったスローガンを大きく書いて、全国の労働者・人民に闘いの檄をとばした。沖縄施政権問題が、本土・沖縄の米軍基地の再編強化と自衛隊の沖縄配備などというかたちで日米の軍事同盟体制をいっそう強化することと結びつけられて、日米両国の権力者のあいだで最終的に解決されようとしているこのときに、動労の労働者たちは、七〇年6・23の反安保政治ストにつづいて、唯一反戦政治闘争を実力をもって貫徹したのだ。

動労の青年労働者たちは、また同時に国鉄労働組合やその他の単産青年労働者らとともに前段の5・12総評青年協主催の闘争にも決起して、沖縄の核基地つき施政権返還策動に抗してたたかうことを多くの青年労働者たちに呼びかけて、この日の闘いを戦闘的にくりひろげたことをステップとして、5・15当日には、社共集会に参加した。動労青年部の労働者たちは、共産党が主張した〝反戦青年委員会排除〟の策動を粉砕して単産として唯一公然と「反戦青年委員会」の旗を高だかと掲げつつ五〇〇名の白ヘル部隊で登場した。社共既成指導部が、ただただ国会内での論議と選挙の票集めのためのキャンペーンへと反対運動をネジ曲げていることを弾劾して、動労のように、職場・生産点での反戦・平和の闘いを構築するべきことを、結集した多くの労働者たちに訴えてたたかったのであった。

この同じ五月十五日、全学連は全国・首都圏の戦闘的学生を広汎に組織して都心での戦闘的デモをたたかいぬくとともに、特別行動隊を組織して、自衛隊沖縄配備の中枢たる市ヶ谷駐屯地への突入・占拠という英雄的闘いを敢行した。「沖縄返還」が、日米軍事同盟の強化とメダルの裏表のものとしておこなわれようとしているこの階級的本質を、全国の労働者・人民の前に衝撃的につき

全国に「ベトナム反戦」の檄（1972年6月10日、新鶴見操車場）

つけたのだ。そしてまた、全学連は、順法闘争というかたちで闘争に決起した国鉄動力車労組の闘いとも固く連帯し、これを支援する闘いとして南武線を走る米タンク車の輸送を実力でストップさせる特殊的闘いを果敢に実現したのである。

米軍ジェット燃料タンク車輸送阻止！
——三波にわたる闘争を生産点で貫徹

動労・国労の労働者たちは、アメリカのベトナム侵略のエスカレートに抗議し、そして日本政府の協力・加担を断固として阻止する決意を固めて米軍横田基地へのジェット燃料用タンク車の輸送阻止の闘いに決起した。6・11の社共一日共闘方針にふまえて、国労と動労は九日から十一日までの三日間、東京地本の軍事物資輸送関係線区で、貨物や構内作業を対象とした強力順法闘争を第一波としてたたかった。続く十三日から十五日までの第二波闘争は、首都圏の国電や各地の操車場、米軍・自衛隊基地周辺の線区を中心にＡＴＳ戦術(註)を含む強力順法闘争として動労、国労の共闘体制のもとでたたかわれた。

この第一波では南武線、山手線を走る米タン列車十八本中九本を運休に追いこんだ。そして国鉄労働者たちはそれぞれの職場から、〝走るスローガン〟、石灰書きで反戦闘争スローガンを大きく書きしるした列車を全国に送りだし、全国のすべてのたたかう労働者に檄を送り、また首都圏の国電ダイヤをズタズタにする闘いをくりひろげた。また、第二波闘争においてもマスコミが「ストライキ以上の被害」とヒステリックに叫びたてるほどのダイヤの大混乱をつくりだしたのである。

国鉄の戦闘的労働者たちはひきつづいて六月二十日からは、反戦闘争だけでなく、政府・国鉄当局による「仲裁裁定不実施」の賃上げ抑制攻撃にたいする反撃の意志をも加えて、第一・二波を上まわる規模において第三波の強力順法闘争に突入した。この闘争によってゲタ電（国電）はもとより、新幹線を含む全国六〇〇拠点でのATS戦術を含めた闘いによって、5・30以来、米タン二十数本をはじめ貨物列車一万本以上をウヤ（運行休止）にする大打撃を国鉄当局に与えたのである。この国鉄労働者たちの戦闘的息吹は総評傘下の戦闘的労働者や全国の勤労人民を大いに鼓舞したのであった。

註　ATS戦術　自動列車停止装置（ATS）が鳴ったときに、電車（列車）を遅らせないため一旦停車するのではなく、ブレーキをかけながら目視で運転を続行することが、当局によって実質上強要されていた。ATSが鳴るたびに完全停止をくりかえすことによって電車を遅らせる「順法闘争」。

国鉄戦線での画歴史的闘いを可能にした組織的根拠

沖縄の核基地つき返還を軸とした日米両権力者の攻撃に順法闘争をもって反撃の闘いをくりひろげ、さらにアメリカのベトナム侵略にたいしても、米軍ジェット燃料の輸送を現実にストップさせる強力な闘いを戦闘的に切り拓いた、国鉄戦線の仲間たちの闘いは、いかにして実現されたのであろうか。

動労は七〇年六月二十三日、総評の方針にのっとって、東京では立川機関区をスト拠点に指定して、日米安保条約の自動延長＝実質的強化に真正面から反対し、またアメリカのベトナム侵略に抗議する反戦の旗も鮮明に、米軍事基地への米タン輸送を阻止するための純然たる政治的ストライキ闘争に敢然と決起した（本誌第三〇二号参

1972年春—国鉄労働者の闘い

4・3　国鉄当局が動労東京地本傘下各支部に大量処分を通告。動労はただちに順法闘争
4・7　新鶴見などへの機動隊常駐に抗議し順法闘争の戦術を強化
4・17　動労本部が闘争を全国に拡大する決定
4・19〜20　72春闘の公労協第一波統一行動
4・27　春闘決戦スト、始発から22時間のスト
5・12　総評青年協主催の反戦・沖縄闘争
5・15　動労が「沖縄の核基地つき返還反対、ベトナム戦争反対」の順法闘争
5・15　全学連・反戦青年委が6500名のデモ
5・15　社共一日共闘集会の内部でたたかう
5・29〜6・1　甲府支部での不当逮捕に抗議し動労が順法闘争
5・31　神奈川県下の労学が相模原の米軍補給廠に「戦車輸送阻止！基地撤去！」を掲げて決起
6・1、11、26　社共一日共闘。選挙運動への歪曲に抗してたたかう
社会党系の反安保実行委の全国基地闘争（三沢、横須賀、相模原、浜松、能勢、岩国、佐世保、沖縄など）に国鉄労働者は先頭でとりくむ
6・9〜11　動労・国労がジェット燃料輸送阻止を掲げて東京地本で強力順法闘争（第一波）
6・13〜15　同第二波闘争
6・20　政府・国鉄当局の賃上げ抑制への抗議をも加えて動労・国労の第三波闘争
6・21　総評青年協・東京地青協主催の「ベトナム侵略反対、自衛隊沖縄配備阻止青年労働者総決起集会」に青年労働者7000名が結集
6・23　社共共闘集会。「20万人動員」のかけ声に反して参加者は3万人

照）。この闘いは、いったんはストライキ方針を決定しておきながら、闘争放棄をきめこんだ総評・社会党や日共の裏切り的指導のゆえに、突出＝孤立させられた。そのゆえに、国家権力は基幹交通・国鉄をぶっ止めた動労にたいして憎悪にみちて弾圧を集中した。国鉄当局・鉄道公安を先兵とする闘争破壊＝労組破壊の攻撃は熾烈を極めた。現場で闘争を指導した役員・活動家を多数逮捕し、当局者によって「現認」された一七一名と現認不可能な六〇〇名を「暴力行為」や「傷害」「鉄道営業法違反」「公務執行妨害」「威力業務妨害」

等あらゆる罪をデッチあげて告訴するという、狂暴な弾圧がかけられたのであった。けれども、動労の労働者たちは、わが革命的・戦闘的労働者を中心とした奮闘によって、このような弾圧をしかけてくる権力や国鉄当局の狙いを暴きだし、大弾圧にも屈することなく、否、逆に反弾圧の闘志を燃えたたせて労働組合の団結をうち固め、これをはねのけてたたかいぬいたのであった。

国鉄戦線でたたかう革命的・戦闘的労働者たちは、社・共既成左翼による議会主義的・反米民族主義的歪曲に抗してたたかう方向性を明らかにし、イデオロギー的＝組織的闘いをつみかさねた。こうして組合員とりわけ青年労働者のなかに、反戦平和への確固たる意識を育てうち固めたのである。たとえばそれは、一九六九年十一月、首相・佐藤栄作が沖縄の核基地つき返還＝日米軍事同盟の核軍事同盟への飛躍をアメリカ権力者とのあいだで合意するために訪米したときに、全国から決起した動労青年部員二〇〇〇名がヘルメット部隊で登場し、11・16～17羽田現地闘争を貫いたという画歴史的闘いにも示された。動労を先頭とする反戦政治闘争の高揚は、まさにこのような苦闘を基礎にして初めてかちとりえたものであった。

革命的・戦闘的な国鉄労働者たちは、職場生産点における反合・運転保安の闘いや、当局・国家権力からの鉄労(鉄道労働組合)・マル生分子を利用した「暴力事件」を口実としての首切り・逮捕・起訴攻撃などとの激しく長く、連続した闘いのただなかで、現におこなわれているベトナム侵略や政府・支配階級の種々の戦争政策にたいしても反対してたたかう主体を創り、鍛え、かつ実践してきたのである。もちろん国家権力・支配階級は突出してたたかう動労にたいして、〝過激派〟とか〝暴力集団〟とかのレッテルをはり、マスコミを動員して悪意にみちたキャンペーンをくりひろげた。この悪らつなキャンペーンにたいして、当時、国鉄戦線の革命的・戦闘的労働者たちは、〝過激派と一線を画す〟という防衛的方策ではなく、みずからの闘いの正当性を公然と主張して、「やがて燎原の火となる」という確信をもって、右翼的包囲網を正面突破するというかたちで奮闘したのである。まさに、このような実践的・攻撃的な姿勢を堅持して組合員総体の高度な武装をおこなっていたからこそ、動労の戦闘的な闘いは可能となったのであり、国労内部や他の産別の労働者へと共感を広げることができたのだ。

また、動労は、動労内・国労内の日共系組合員や代々木共産党そのものからの「暴力集団」キャンペーンにも直面した。この「のりこえられた前衛」の敵対にたいして、わが革命的・戦闘的労働者たちは、その反階級的な本質を暴きだして粉砕するだけではなく、組合員総体にスターリニズムの問題性への自覚をうながし、それを根底からのりこえるべきことを訴えてたたかったのである。

これらの闘いをつうじて、国鉄戦線の内部に、革命的労働者の組織的拠点を確固として築き、拡大していったことこそが、画歴史的な生産点からの反戦闘争の高揚をかちとりえた最深の根拠にほかならないのだ。

マル生粉砕闘争をつうじて培われた組合組織の戦闘性

七〇年代において、動労が既成指導部の闘争放棄に抗して基幹単産としてただひとつ、公然と反戦政治闘争にとりくみ、たたかいぬくことができたのは、国鉄当局のマル生攻撃（生産性向上運動）にたいする熾烈な闘いをたたかいぬき、そのただ中で、労働組合組織の階級的強化をかちとってきたからにほかならない。

国家権力・国鉄当局は、動労・国労の両労組を破壊・変質させその戦闘性を奪うことをも狙って国鉄への生産性向上運動の導入を決定した。一方では日本帝国主義の隘路と化しまたすでに構造的赤字を急速につみかさねていた運輸交通部門・国鉄の合理化をダイナミックに進めるために、他方では飼い馴らした鉄労（民社党系）労働貴族どもを先頭に立てて、国鉄労働運動を破壊し、さらには労働運動の右翼的統一を尻押しするために政府・国鉄当局は一挙に攻撃を開始したのであった。わが革命的・戦闘的労働者たちはこの攻撃と真正面から対決し、創意工夫した闘いをもって、七一年末には史上初めてマル生粉砕闘争の勝利をかちとった。だがしかし国鉄当局・政府支配者どもは新たな装いをとって、ひき続きマル生攻撃をしかけてきたのであった。すなわち、当局が前面に立って上から組織してきたそれまでのマル生運動に代えて、御用組合としての鉄労を前面に立てるかたちで、この鉄労を挑発者として活用した「暴力事件」をデッチあげ、国家権力を介入させ、それを口実に国鉄当局が行政処分を乱発して組合役員・活動家をパージして、盛りあがったマル生粉砕闘争とそれを組織した労働組合組織とを破壊するというかたちでの攻撃がそれである。こうして七二年は、マル生粉砕闘争の第二段階に突入した。当局・権力との攻防は激烈となり、わが革命的・戦闘的労働者たちにとって文字どおり正念場の闘いの年となったのであった。

七二春闘決戦を前にした四月三日、国鉄当局は動労東京地本新鶴見支部の組合員八名にたいして〔すでに前年、鉄労にたいする暴力を口実に免職処分を通告し、その正否をめぐる労使間での継続的話し合いの最中に〕一方的に免職処分を発令し、また同時に同大宮支部の二名や新潟地本坂町支部の二名の免職を含む東京田端支部などの組合員一六五名にたいする大量不当処分を通告してきたのである。これにたいしてわが戦闘的労働者たちは当然にも激しい怒りに燃えて、即刻断固とした反撃の闘いにたった。

国鉄当局の弾圧に抗して闘う決意（72年4月12日、田端機関区）

国鉄当局はこの処分の発令と同時に八名もの免職処分を出した当該の現場、新鶴見機関区にたいして局課員（通称白腕章）の部隊五十人、鉄道公安機動隊五十人などの暴力装置を投入配置し、常駐させて現場組合員を威圧した。同時に、神奈川県警にたいしても密かに出動要請をおこなっていた当局は、四月六日、悪質マル生分子（元国労組合員）にたいする支部組合員らの追及行動にたいして、これを暴力的に抑圧するためについに一一〇番通報をもって、新鶴見機関区構内に県警機動隊を導入した。乱闘服で身を固め、ジュラルミン楯、ガス銃で武装して職場に乱入した県警部隊は、勤務のためにそこに居た組合員を含む全員を乗務員詰所から暴力的に排除したばかりか、それに抗議した若い組合員二名をその場で逮捕さえしたのであった。

新鶴見支部ではこうした当局・国家権力による闘争・組合組織破壊の意図も露骨な弾圧にたいして、すでに四月三日以降も多くの列車遅延を出していた順法闘争の戦術を七日以降いっそう強化した。本線列車については発車一〇分前出区（「入出区規制」）、構内運転は時速五キロメートル以下とするなどである。その結果、突入後二時間で上下到着線は満線になり、四時間後には東海道・山手本線上に数十本が立往生した。また貨物列車の方面別仕訳作業をやる坂阜（はんぷ）作業も作業マヒとなり、入換作業は不能となった。当局は新鶴見操車場の作業能率が平常時の三分の一に落ちたと発表した。大宮でも田端でも同様に抗議闘争を強化したがゆえに、十日には一八〇〇本がウヤとなった。十一日には二三九〇本、十二日には三二九五本をウヤに追いこんだ。闘いはただちに「社会問題」化した。佐藤内閣は「動労の順法闘争は違法である」との態度を表明し強権的弾圧の姿勢を示した。経済企画庁は生鮮食料品の輸送確保を国鉄当局に申し入れ、当局は大幅な計画運休によって、コンテナ・フレートライナーなど優等列車の確保で急場しのぎをおこなっていた。しかし動労の闘争は生鮮食品のみでなく、工場の原材料や商品の輸送にも大きな打撃を与えはじめていたのである。

こうして東京地本は十二日に闘争を全国闘争へと拡大強化して、四月二十七～二十八日の交運・公労協の統一闘争としての七二春闘決戦まで継続してたたかいぬく意志統一をはかった。さらに十七日には動労本部が全国代表者会議を開催し、東京、新潟などから局地的に始められた闘争を全国闘争として継続・発展させていくことも確認した。国鉄当局はこの十七日をもって新鶴見に常駐させていた公安機動隊を退去させるにいたった。ちなみにこの十七日までの運休列車は七二七二本に達し、十九日・二十日は公労協第一波統一行動も重なり運休は一万本を超えた。国鉄当局が見せた一定の後退と懐柔策にたいしても動労の戦闘的労働者たちは、当局による強権的職場支配の責任を追及し、不当処分撤回を要求してたたかった。「JC春闘」を標榜し労働戦線の右翼再編を策す総評・中立労連指導部内右派グループの〝五月決戦〟方針を粉砕し、交運・公労協4・27決戦ストの爆発をめざして、順法闘争をあくまでもたたかいぬいたのであった。こうして4・27決戦ストは始発から二十二時までほぼ丸一日を打ち抜くかたちで勝利的に貫徹された。

この七二年四月の不当処分を契機とする二十五日間の長期強力順法闘争の勝利的実現こそは、動労の組合員・戦闘的労働者たちをさらに一回り大きく強くした。実際、この闘争こそが、その後の歴史的な「スト権スト」実現の契機を生みだしたのであり、この自信が七五年スト権スト実現の力を育んでいったのである。

こうした反戦闘争や反処分・反マル生闘争に示された動労の戦闘性はいかに育まれてきたのか。歴史的には一九六〇年代初頭からの青年部組織の形成・育成をテコとした動労組織総体の左翼化・戦闘化に始まる。

わが革命的・戦闘的労働者たちは、経済的・政治的諸課題へのとりくみにあたって、政府や国鉄当局の攻撃の階級的性格を暴露し、自分たち労働者（組合員）の階級的立場についての自覚をうながすための論議（学習）をおこなってきた。種々のレベルのフラクションをも組織しつつ、労働組合組織の質を高めてきたのだ。

少しく具体的に言えば、前出の新鶴見支部では、諸闘争に向けて、青年部がオルグ班として乗務員室（乗務の前後に時間待ちなどで組合員が休憩する所）に張りついて、いわゆる世間話を含めて、会話・論議することをつうじて、年齢差からくる或る種の壁をとっ払い、組合組織の一体感をつくりだしつつ反マル生闘争を推進したのだという。

同じく、反戦平和のとりくみの過程で、軍隊経験のある高齢組合員に働きかけ、ともすれば積極的には話したがらない戦争体験を聴きだし、それらを文章化して冊子にまとめ、組織内外に広めたりして、青年部員らがそれに学び・共有するなどの活動をおこなったりもしてきたのだ。

こうした職場生産点での努力、苦闘の積み重ねこそが、戦闘的にたたかう動労の組織を創りあげてきたのである。

古鶴武士

〈シリーズ　わが革命的反戦闘争の歴史〉掲載一覧

・60年安保闘争　闘いの高揚と挫折――ブント主義をいかにのりこえたのか？　三宅深海（第二九〇号）

・米・ソ核実験反対闘争 その1 62年8月6日
モスクワ「赤の広場」デモ　野辺山進（同）
・米・ソ核実験反対闘争 その2 国際学連大会に
のりこみ中・ソ学生官僚と大論戦　野辺山進（同）
・米・ソ核実験反対闘争 その3 原水禁運動の破産
を宣告し全国に闘いの炎　初島厳太郎（同）
・米・ソ核実験反対闘争 その4 左右の偏向を克服
するための思想闘争　初島厳太郎（第二九一号）
・キューバ危機をめぐる思想的対立と分裂
仁科郷介（同）
・63―65年 日韓会談―条約締結阻止闘争
榊舞太郎／長浜精一（第二九二号）
・65年 ベトナム反戦闘争の創造　市井直司（同）
・反戦青年委員会を換骨奪胎する闘い
長浜精一（同）
・67年 砂川基地拡張阻止闘争
真地五朗（第二九五号）
・67年 4・28沖縄闘争　小机朝子（第二九六号）
・68年 安保＝沖縄闘争　小机朝子（同）
・67年 10―11月羽田闘争　長浜精一（同）
・68年1月 エンタープライズ佐世保寄港阻止闘争
高森市蔵（第二九八号）
・68年2―4月 米軍王子野戦病院反対闘争
高森市蔵（同）
・68年10月 新宿米軍タンク車輸送阻止闘争
初島厳太郎（同）
・69年「B52撤去」2・4沖縄ゼネスト
霧島武／霞張三（第三〇〇号）
・69年8月 本土―沖縄を結ぶ渡航制限撤廃闘争
霞張三（同）
・69年 安保＝沖縄闘争を牽引
山川鮎太（第三〇一号）
・70年安保闘争の高揚を切り拓く
山川鮎太（第三〇二号）
・71年沖縄返還協定粉砕闘争 その1 沖縄全島をゆ
るがした5・19ゼネスト　荻堂克二（第三〇三号）
・71年沖縄返還協定粉砕闘争 その2 首都で燃えあが
った調印・批准阻止闘争　水俣四郎（第三〇三号）
・72年3―4月 沖縄全軍労無期限ストライキ
霞張三（第三〇四号）
・72年4―6月 動力車労組の反戦順法闘争
古鶴武士（第三〇五号）

漫画「龍虎羆図」解題

（図版は巻頭カラー頁に掲載）

雌雄決しがたく天下を二分するものとして画題となってきた「龍虎図」（りゅうこず）。これに「羆」（ひ＝ヒグマ）を加え、「米—中・露」の対立をあらわす「龍虎羆図」（りゅうこひず）とした。

断崖（弾劾）絶壁のトランプに雪舟の「秋冬山水図」の一幅を、日本への中距離核ミサイル配備には北斎「富嶽三十六景」の一景を、そして地球環境破壊にはブリューゲルの版画「大きい魚は小さい魚を食う」をそれぞれ拝借。

一九八九年「ベルリンの壁」が崩壊し、同年十二月三日に地中海マルタ島でパパ・ブッシュとゴルバチョフが冷戦の終結を宣言してから三十年。トランプがＩＮＦ全廃条約を破棄し、いま核戦力の強化競争が激化。ＥＵでは、極右が台頭し「ベルリンの壁」にかわって移民排斥など新たな壁が築かれている。二十一世紀世界は＜戦争と貧困と圧政＞の暗黒に覆われている。新年にあたって画は明るく描いた。

「龍」はいうまでもなく中国・習近平。「５Ｇ」と「ミサイル」（五本の指と爪）でアメリカに対抗。「デジタル人民元」でドル紙幣（支配）を打ち砕く構え。香港人民・ウイグル族を弾圧し収容所へ。台湾の蔡英文はアメリカ製戦闘機を抱いて不安そう。龍の尾は「一帯一路」。ヒンズー至上主義のインド・モディ政権はイスラムを迫害。中国の融資で借金漬けのスリランカは、親中派のラジャパクサが新大統領に就任。ノーベル平和賞をもらったミャンマーのスーチーは、ロヒンギャ族への迫害を居直っている。財政難のギリシャを習近平が訪問。ピレウス港整備への中国企業の投資を首相ミツォタキスと合意。「一帯一路」は地中海からＥＵへとのびている。

「虎」はトランプ。弾劾（断崖）で崖っぷち。下院議長の民主党ペロシ（米民主党のシンボルはロバ）が蹴落としている。日本とのＧＳＯＭＩＡを破棄しようとした文在寅を恫喝し、「属国」の宰相・安倍は安保の鎖でしっかり縛りつけている。金正恩は「クリスマス・プレゼント」のおねだり。

中南米では、親米右派と反米左派が政権を奪いあっている。アルゼンチンでは、大統領がマクリからアルベルト・フェルナンデスへと、再び

「左派政権」になり、副大統領にはエビータ気取りの元大統領クリスティナ・フェルナンデスが就任した。でも、貧困層への「ばらまき」では政権を維持できないぞ。ボリビア大統領モラレスは軍のクーデタで政権を追われて、左派のロペスオブラドールが大統領となっているメキシコに亡命（現在はアルゼンチンに亡命）。チリの大統領ピニェラは労働者・人民の反政府闘争に追いつめられている。森林火災を焚きつけたブラジル大統領ボルソナロは煙にむせている。アメリカでは、若者がインターナショナルを歌っているそうだ。

「羆」のプーチンは、軍事力強化に余念がない。中国へ天然ガスのパイプラインをのばして結束を強化。

「冷戦は地中海に沈んだ」（ゴルバチョフ）。イタリアのベネチアは、地中海・アドリア海の海水面の上昇で、満潮になるとサンマルコ広場が水浸し。フランスでは年金制度大改悪に怒った労働者・人民が大統領マクロンを断頭台に。極右政党が伸張し、「国民運動」（旧「国民戦線」）党首のルペンが移民排斥を唱えている。ドイツでも移民排斥を掲げる「ＡｆＤ（ドイツのための選択肢）」が議席を拡大し、メルケル政権も危ない。イギリスのジョンソンはＥＵと袂を分かつ。

トルコ大統領エルドアンは、ＮＡＴＯの一員でありながらロシアからミサイル迎撃システムＳ４００を導入。米軍が撤退した後のシリアに軍事侵攻し、クルド人勢力を攻撃している。仏大統領マクロン曰く、「ＮＡＴＯは脳死」。イランのハメネイ師はドローンでサウジ攻撃。イスラエルのネタニヤフは「お縄」の一歩手前。

安倍はシュレッダーの裁断屑で紙吹雪。枯れ木に花は咲かず（アベノミクスは完全にパンク）、枝が折れかけている。「全世代型社会保障」とは、「一億火の玉」で国防のための財政を支えよとの謂い。老壮青の「肉弾三勇士」に号令をかける厚労相・加藤。文科相・萩生田は児童生徒を「身の丈」のふるいにかけている。防衛相・河野は自衛隊と米軍の「ワンチーム」で中東派兵。中村哲が「有害無益」と一喝。

「オリーブの木」を主張する小沢が野党の「のりしろ」を貼り合わせようとする。日共の「反安保」「自衛隊違憲」には「キリトリ線」が……。野党のシンボルカラーは総じて青。「連合」神津が「アカはだめ」と。不破は浦島太郎。フワ綱領の「社会主義をめざす国」＝龍宮は煙となって消えた。

今年も充実した機関紙誌づくりに編集局一同がんばります。

国際・国内の階級情勢と革命的左翼の闘いの記録（二〇一九年十月〜十一月）

国際情勢

10・1 **中国国慶節で国家主席・習近平が「中華民族の団結」強調。軍事パレードに最新鋭兵器多数**
香港で警官が実弾発射、デモの高校生重体
イラクで反政府デモ、7日までに死者110人

10・2 米政府がエアバス補助金を理由にEUへの最大75億ドルの追加関税発表。18日実施

10・4 **香港行政長官・林鄭月娥が緊急状況規則条例を適用、事実上の戒厳令。覆面禁止規則を5日から施行**

10・5 米朝実務者協議、北朝鮮は「決裂」と発表

10・6 **米大統領トランプが「トルコの軍事作戦に関与せず」と言明。シリア北部駐留米軍が撤収開始(7日)。トルコがクルド人勢力への越境攻撃(9日)。露軍がシリア国境警備開始(15日)**

10・7 米政権がウイグル族弾圧への関与を理由に中国政府要人・党・ハイテク企業への制裁発表

10・11 サウジアラビア沖紅海でイラン国営石油会社のタンカーにミサイル攻撃。イランによる石油施設攻撃へのサウジの報復

10・13 ポーランド下院選挙で極右与党が圧勝
チュニジア大統領選挙決選投票で憲法学者カイス・サイードが圧勝。汚職撲滅を謳う

10・14 韓国法相・曺国が汚職疑惑などで辞任
ロシア大統領プーチンがサウジ訪問、兵器を売り込み

国内情勢

10・1 **消費税税率を10％に引き上げ。キャッシュレス決済・軽減税率をめぐり大混乱**
韓国軍機が「国軍の日」に独島（竹島）周辺をデモ飛行。日本政府が抗議

10・2 関西電力が高浜町元助役からの金品受領で報告書を公表、〝1億円超受領の役員が2人〟など。会長・八木誠らが辞任(9日)
日銀の短期経済観測で3期連続悪化
北朝鮮がSLBM（潜水艦発射弾道ミサイル）発射、日本の排他的経済水域に着弾

10・4 臨時国会開会、首相・安倍晋三が所信表明演説で「憲法問題の議論」を強調

10・7 **日米両政府が貿易協定に署名。農畜産物関税引き下げなど**
北朝鮮漁船が日本EEZ内で水産庁漁業取締船と衝突し沈没、北朝鮮が抗議

10・8 8月の実質賃金が前年同月比0・6％減、8ヵ月連続マイナスに

10・10 セブン&アイ・ホールディングスが3000人削減などのリストラ策を発表

10・11 **「連合」定期大会（10日〜）で運動方針決定。「社会的賃金相場の形成」を削除＝春闘の完全放棄**

10・13 **台風19号で堤防決壊・河川氾濫が多数、100人近くの死者・行方不明**

革命的左翼の闘い

10・1 金沢大学共通教育学生自治会が「日米共同訓練反対！ 緊急集会」（小松市）で奮闘。労組員・市民とともに小松基地ゲート前でたたかう

10・5 琉球大学学生会と沖縄国際大学学生自治会が「辺野古新基地建設に反対する県民大行動」に労働者・市民とともに決起。キャンプシュワブ・ゲートを封鎖する800名の先頭で「日米核安保粉砕！」を掲げ闘いを牽引

10・6 北海道のたたかう学生が「さようなら原発北海道集会」（札幌市）に結集、1500名の労働者・市民とともに「泊原発3号機再稼働阻止」の雄叫び。わが同盟が「原発・核開発阻止」「改憲阻止」を訴える

10・20 全学連九州地方共闘会議と反戦青年委員会が労学統一行動（福岡市）。「改憲阻止！ 日米核安保粉砕！」を訴え市中心街を戦闘的にデモ
奈良女子大学学生自治会と神戸大生の会が「とめよう戦争への道 関西の集い」（大阪市）に結集。「中東への自衛隊派遣を許すな」と呼びかけ720名とともに米総領事館にデモ

スペイン最高裁がカタルーニャ自治州前閣僚に反乱罪で禁固刑。同自治州で大規模デモ

10・17 米がトルコとシリア北部での軍事作戦5日間停止で合意。プーチンがトルコ大統領エルドアンと、クルド人勢力のトルコ国境地帯からの撤退および露・トルコ両軍による合同パトロールを合意（22日）

10・18 **英ジョンソン政権とEUが新離脱協定に合意。EUが20年1月末までの英離脱延期を了承、英下院が12月12日総選挙を決定**（29日）

10・18 中国の7〜9月のGDP成長率が前年同期比6・0％増、一九九二年以来の最低を更新

G20財務相・中央銀行総裁会議でデジタル通貨「リブラ」発行を当面認めないことで合意

10・21 イスラエルで首相ネタニヤフが組閣断念

10・22 **チリで地下鉄運賃値上げを発端に全国で反政府運動、軍の介入で政府危機に。APEC首脳会議とCOP25の自国開催を断念**（30日）

10・23 初の「ロシア・アフリカ首脳会議」開催（〜24日、ソチ）。アフリカ54ヵ国が参加

10・25 米の19年度財政赤字が対前年比26・4％増に

10・27 米がIS（「イスラム国」）「カリフ」バグダーディをシリア・イドリブ県で殺害と発表

アルゼンチン大統領選で「左派」の元首相アルベルト・フェルナンデスが「反緊縮」で当選

10・28 **中国共産党第19期中央委第4回総会**（〜31日）。習近平が「全党を武装し人民を教育」「香港の法制度と執行メカニズム整備」を強調

10・29 レバノン首相ハリリがスマートフォン課税反

者。自民党幹事長・二階俊博が被害は「まずまずに収まった」と暴言。安倍が29日になって「激甚災害」と指定

10・17 政府の宇宙政策委員会が米国の月探査「アルテミス計画」に協力の方針を決定

沖縄北方相・衛藤晟一が靖国神社例大祭に参拝、18日に総務相・高市早苗も

10・18 **国家安全保障会議（NSC）四大臣会合で安倍が自衛隊中東派遣の検討を指示、「調査・研究」の名目で。防衛相が「ホルムズ海峡も排除せず」と言明**（23日）

10・21 貿易赤字が19年度上半期8480億円、2期連続の赤字。対中・対韓輸出激減で

10・22 天皇「即位礼」儀式を実施

10・23 沖縄県の求めた「辺野古埋め立て承認撤回」の効力回復の請求を福岡高裁が却下

10・24 安倍が来日中の韓国首相・李洛淵と会談、元徴用工問題で「日韓基本条約違反」と非難、李は大統領・文在寅の親書を手渡す

文部科学相・萩生田光一が大学入学共通テストに活用の英語民間試験について「自分の身の丈に合わせよ」と暴言

10・25 公職選挙法違反疑惑を暴露された経済産業相・菅原一秀が辞任

10・28 東京電力が日本原子力発電の東海第二原発（茨城県東海村）再稼働にむけて2200億円の資金協力を発表

10・29 在沖米軍が嘉手納基地でパラシュート降下訓練を強行（SACO合意違反）

10・21 わが同盟が「10・21国際反戦デー福岡地区集会」（福岡市）で情宣。「自衛隊の中東派遣阻止」「改憲阻止」を訴える

10・27 **改憲阻止・反安保の労学統一行動を全国5ヵ所で実現**

〈首都〉全学連と反戦青年委員会が「アメリカによる中距離核ミサイルの日本配備阻止！日本国軍の中東派遣反対」を掲げ白ヘル部隊で国会・米大使館に進撃

〈北海道〉全学連北海道地方共闘会議と反戦青年委員会が札幌市大通公園から自民党道連に進撃／〈東海〉全学連東海地方共闘会議と名古屋地区反戦が名古屋市中心街を戦闘的にデモ／〈関西〉全学連関西共闘会議と反戦青年委員会が大阪市市街を米総領事館へデモ。香港人民への武力弾圧を弾劾し中国総領事館にも／〈沖縄〉沖縄県学連と県反戦労働者委員会が那覇市国際通りをデモ

11・2 琉大学生会と沖国大自治会が「辺野古新基地建設に反対する県民大行動」（キャンプシュワブ・ゲート前）に決起。「沖縄と日本列島への中距離ミサイル配備阻止」を訴え1000名の先頭で奮闘

対デモの高揚を受けて辞任
キューバ大統領ディアスカネルが訪露しプーチンと会談、対米で連携・油田共同開発を確認

10・30 米FRBが19年3度目の利下げを決定

10・31 米下院がウクライナ疑惑をめぐりトランプ弾劾訴追にむけての調査にかんする決議可決
インド政府が、自治権をもっていたジャム・カシミール州を直轄領に

11・1 東アジア地域包括的経済連携（RCEP）会合（～4日）。インドが抵抗、合意にいたらず

11・4 習近平が林鄭月娥と会談し「暴力活動を断固処罰せよ」と命じる
東アジアサミット開催（～5日）。米は首脳欠席。中国の南シナ海軍事化に「重大懸念」との議長声明に中国が反発し「留意」を付加
トランプが「パリ協定」離脱を国連に正式通告

11・7 中国商務省が米中の追加関税の段階的撤廃で一致と発表、米大統領補佐官ナバロは否定

11・8 香港で抗議活動の学生死亡、至近弾で学生重体（11日）。警官隊が各大学構内に突入（12日）

11・10 スペイン総選挙で与党・社会労働党が1位、ポデモスと連立協議。極右ボックスが第3党

11・11 ボリビア大統領モラレスが辞任・亡命。10月20日大統領選挙の「不正」を口実に軍がクーデタ。国内でモラレス支持のデモに大弾圧
習近平がギリシャを国賓で訪問。ピレウス港への追加投資で合意、「一帯一路」拡大を自賛

11・12 イスラエル軍がイスラム聖戦司令官を殺害、

10・31 法相・河井克行が本人と妻の公選法違反疑惑で辞任
沖縄首里城の正殿などが全焼
〔走狗・ブクロ＝中核派が『前進』10月14日号で9月に政治局全員辞任と公表〕

11・1 **萩生田が大学入学共通テストでの英語民間試験活用の20年度導入の見送りを発表**

11・2 在沖米軍の調査報告書で飛行中の読書など軍紀違反の横行が明らかに

11・3 年金制度の19年度国際ランキングで日本は37ヵ国中31位（米調査機関報）

11・4 **代々木共産党第8回中央委員会総会（～5日）で「中国＝社会主義をめざす国」規定を削除する綱領改定案、「22年までの野党連合政権樹立」を空叫びする決議案**

11・6 米軍三沢基地所属F16戦闘機から基地外の民間所有地に誤って模擬弾が落下

11・7 衆議院憲法審査会が2年ぶりに自由討議、野党が「欧州視察」の報告をうけることを理由に出席

11・8 **衆院予算委で日共議員が「桜を見る会」を安倍の税金を使った不正接待だと追及。**官房長官・菅義偉が来年は中止と発表し幕引きを図る（13日）。安倍が前夜祭の経費を示す明細書、補填もないと隠蔽（18日）。安倍が招待者の推薦への関与を認める（20日）。官邸・内閣府が証拠湮滅に狂奔

11・3 首都圏学生ネットが「憲法集会in国会正門前」に決起。既成指導部の市民主義的・議会主義的闘争歪曲を突き破り集会を戦闘的に高揚させる。
わが同盟が「日米核安保粉砕・中東派兵阻止」を訴える情宣
奈良女子大自治会と神戸大生の会が「おおさか総がかり集会」（大阪市）に起つ。デモをとりやめた主催者を弾劾し1万余の労働者・市民に「改憲阻止」を訴える。わが同盟が檄
金沢大共通教育自治会が「安倍改憲NO！」集会（金沢市）に結集したたかう。わが同盟が情宣

11・7 わが同盟が「秋期年末闘争勝利」集会（「連合石川」主催、金沢市）で情宣。「『連合』指導部の春闘破壊を許すな！ 改憲阻止」と呼びかける

11・9 わが同盟が「護憲大会」（函館市）で「改憲阻止」「日本への核ミサイル配備阻止」を訴える

11・10 奈良女子大自治会と神戸大生の会が「米軍基地いらんちゃ」集会（京丹後市）に決起。「米軍Xバンドレーダー基地撤去！ 日本への核ミサイル配備反対！」の檄

11・13 金沢大のたたかう学生が「香港警察によるデモ参加者への銃撃弾劾！ 〝第二の天安門〟を許すな！」と訴

パレスチナはロケット砲連射で反撃

11・13　米下院でウクライナ疑惑での公聴会を開始、外交官らがトランプの違法行為を暴露

11・14　**BRICS首脳会議**（13日～、ブラジル）、**保護主義反対を謳う宣言。習近平が「香港の暴力犯罪分子への処罰を支持」と演説**

11・16　スリランカ大統領選で親中派のゴタバヤ・ラジャパクサ当選。初外遊でインド訪問（29日）

11・18　**香港理工大学に警官隊突入、千人超逮捕**、高等法院が「覆面法は基本法に背馳」と判断。全人代常務委が同法は適法と発表（19日）

米がイスラエルのヨルダン川西岸入植を「国際法に違反せず」と初めて公式に表明

イランでガソリン値上げに抗議のデモ。反体制派などが死者450人、逮捕1万人超、実態を当局が隠蔽と暴露（26日）

11・20　米議会で「香港人権・民主主義法案」可決。トランプが署名、成立(27日)。中国は猛反発

イスラエル野党「青と白」代表ガンツが組閣断念。ネタニヤフが収賄罪などで起訴（21日）

11・21　コロンビアで財政再建策に抗議のゼネスト

11・24　**香港区議会議員選挙で「民主派」が議席の8割超を獲得し圧勝**

国際調査報道ジャーナリスト連合がウイグル族収容施設での中国の弾圧示す内部文書公表

11・29　イラクの反政府デモで死者440人超。首相アブドルマハディが引責辞任

アメリカが70年ぶりに原油の純輸出国に

11・11　自衛隊が陸上・海上・航空一体で3・2万人参加の統合演習を各地で開始（～21日）

11・19　**日米貿易協定承認案を衆院で可決**

公立学校教員給与特措法改定案（1年単位の変形労働時間制導入）を衆院可決

高浜原発4号機で10月に3台の蒸気発生器の細管5本が損傷していたことが判明

11・20　元文科相・自民党選対委員長の下村博文が文科省は英語民間試験活用を東大に指導すべきとした発言（19日にNHKが報道）を認めるが、圧力ではないと強弁

11・22　**韓国政府が23日に期限切れとなる日韓GSOMIAの「破棄」の凍結を決定し日本政府に通告**

11・23　ローマ教皇が38年ぶりに来日(～26日)。24日に長崎・広島で核廃絶を訴える演説

11・27　原子力規制委が東北電力女川原発2号機再稼働への安全審査で「適合」と発表

政府が75歳以上の医療費自己負担の1割から2割への引き上げを検討との報道

11・28　北朝鮮が日本海に向け「大型ロケット砲」による飛翔体2発を発射。政府が抗議

パナソニックが半導体事業から撤退、台湾企業に売却と発表

11・29　鹿児島県馬毛島を政府が160億円で買収（米空母艦載機離着陸訓練の候補地）

11・30　日印が初の2プラス2協議、中国の海洋進出などへの安保協力を確認

え大学キャンパスで情宣

11・16　**全学連が香港人民への弾圧を弾劾し中国大使館**（東京都港区）**に緊急抗議**。「北京ネオ・スターリニストと香港行政府による血の弾圧を許すな！　香港人民と連帯してたたかうぞ」とシュプレヒコール

全学連が「桜を見る会」不正接待を弾劾し首相官邸前で抗議闘争。反人民性をむきだしにするネオ・ファシスト安倍政権に怒りの拳

11・21　琉大学生会と沖国大自治会が「辺野古新基地建設阻止！　座り込み集中行動」（キャンプシュワブ・ゲート前）に決起。労働者・市民の先頭で工事資材搬入阻止の実力闘争

11・23　北海道のたたかう学生が「放射性廃棄物処分場建設反対集会」（幌延町）で奮闘。原発・核開発阻止を訴える

11・30　奈良女子大自治会と神戸大生の会が「オスプレイ飛ばすな！　あいばの集会」（滋賀県高島市）に決起。「日米合同演習フォレストライト阻止」の現地闘争を先頭でたたかう

鹿大共通教育自治会が「鹿屋に米軍はいらない集会」（鹿屋市）に決起。オスプレイ訓練に抗議し労働者・市民の先頭で市街をデモ

『新世紀』バックナンバー

No.304 2020年1月

サウジ石油施設攻撃事件の意味

改憲阻止・反安保の爆発を／香港警察の弾圧弾劾／消費税増税／台風被災民見殺し／日共「野党連合政権」構想批判／戦後謀略と日共の犯罪／教員の「働き方改革」／MMTの幻夢／ゲノム編集／黒田思想をわがものに／72年全軍労スト

No.303 2019年11月

香港人民への武力弾圧を許すな

国際反戦集会基調報告／改憲・ペルシャ湾派兵阻止／日韓GSOMIA破棄／「徴用工」強制の犯罪／かんぽ「不適切販売」／郵政65歳定年制／「介護の生産性向上」の号令／『資本論』―マルクスのパトス／71年沖縄返還協定粉砕闘争

No.302 2019年9月

アメリカのイラン軍事攻撃阻止

タンカー砲撃謀略弾劾／核軍事同盟の強化阻止／G20サミット反対／反戦集会海外アピール／年金問題の幕引き／AI兵器配備／盗聴法／日共内の造反／学校版「働き方改革」反対／高校普通科再編／外国人労働者搾取／70年安保闘争

No.301 2019年7月

改憲・安保同盟強化を打ち砕け

改憲・安保同盟強化粉砕／日米2＋2合意／新防衛計画大綱／辺野古土砂投入弾劾／「連合」指導部の春闘破壊／郵政ベアゼロ／従軍慰安婦・徴用工問題／東海第二原発稼働／ゴーン逮捕・追放／黒田の断絶と飛躍／69年安保沖縄闘争

新世紀 第305号（隔月刊）

日本革命的共産主義者同盟 革命的マルクス主義派 機関誌©

発行日 2020年 2月 10日

発行所 解 放 社

〒162-0041 東京都新宿区早稲田鶴巻町 525-3
電話 03-3207-1261 振替 00190-6-742836
URL http://www.jrcl.org/

発売元 有限会社 K K 書 房

〒162-0041 東京都新宿区早稲田鶴巻町 525-5-101
電話 03-5292-1210 振替 00180-7-146431
URL http://www.kk-shobo.co.jp/

ISBN 978-4-89989-305-9 C0030